UNE DENT CONTRE DIEU
de Marcel Godin
est le cent cent cinquante-sixième ouvrage
publié chez
LANCTÔT ÉDITEUR
et le treizième de la
« petite collection lanctôt ».

D0784596

Marcel Godin

UNE DENT CONTRE DIEU

roman

PCL / petite collection lanctôt

LANCTÔT ÉDITEUR
1660 A, avenue Ducharme
Outremont, Québec
H2V 1G7
Tél.: (514) 270.6303
Téléc.: (514) 273.9608
Adresse électronique: lanctotediteur@videotron.ca
Site Internet: www.lanctotediteur.qc.ca

Illustration de la couverture: Le Titien, *Cheval et cavalier tombant*
Montage: Édiscript enr.
Maquette de la couverture: Folio infographie

Distribution:
Prologue
Tél.: (514) 434.0306 / 1.800.363.2864
Téléc.: (514) 434.2627 / 1.800.361.8088

Distribution en Europe:
Librairie du Québec
30, rue Gay-Lussac
75005 Paris
France
Téléc.: 43.54.39.15

Nous remercions le Conseil des arts du Canada et le ministère du Patrimoine canadien de l'aide accordée à notre programme de publication. Nous remercions également la SODEC, du ministère de la Culture et des Communications du Québec, de son soutien.

Première édition: Robert Laffont, 1969

UNE DENT CONTRE DIEU

du même auteur

La cruauté des faibles, nouvelles, Montréal, Éditions du Jour, 1961 ; Montréal, Les Herbes rouges, 1988.

Ce maudit soleil, roman, Paris, Robert Laffont, 1965 ; Outremont, Lanctôt éditeur, 2000.

Une dent contre Dieu, roman, Paris, Robert Laffont, 1969.

Danka, roman, Montréal, L'Actuelle, 1976.

Confettis, nouvelles, Montréal, Éditions internationales Alain Stanké, 1976 ; Montréal, H.M.H., 1979.

Manuscrit, poésie, Montréal, Éditions internationales Alain Stanké, 1978.

Maude et les fantômes, roman, Montréal, l'Hexagone, 1985.

Après l'Éden, nouvelles, Montréal, l'Hexagone, 1986.

Les anges, roman, Paris, Robert Laffont, 1988.

Le chemin de la lune, roman, Montréal, VLB éditeur, 1993.

Ne croyez pas ce que je vais vous dire. Je me mens comme vous vous mentez pour avoir le droit d'être ce que vous êtes. Les souvenirs mentent davantage, mais comment émerger d'eux, être vrai ? Est-ce là mon rôle ? Dois-je jouer à cache-cache avec ma vérité quand elle est si subjective, que je suis si instable ?

Hier, j'étais un oiseau. Aujourd'hui, je ne sais pas qui je suis, tant je me sens cristallisé dans ma mémoire, à l'époque même de ma naissance que je voudrais vous raconter. Surtout, je voudrais dire de quelle manière je me suis enfanté, par quelle astuce j'ai choisi mon père et ma mère quand j'ai eu la volonté de naître.

Des vagues blanches roulaient sur la grève. Le vent était jaune, chaud et fou comme des cheveux de femme. Un cheval galopait poursuivi par une meute d'enfants sales qui hurlaient des imprécations en brandissant les poings. Le soleil couchant multipliait les silhouettes, silencieux comme toujours, observant de son œil écarlate ce spectacle inédit. Il se trouvait parmi le groupe un enfant qui tenait un large couteau à la main. Avec la souplesse d'un acrobate, il fit un bond et sauta sur la croupe de la bête en s'agrippant à la crinière à laquelle il entremêla ses frêles doigts.

Puis il cramponna ses cuisses et s'inclinant le plus près possible du poitrail, il leva le bras pour y enfoncer la lame de son couteau.

Tous les autres enfants restèrent là, stupéfaits, la bouche ouverte. Les uns pleuraient, d'autres passaient sur leur front une main moite d'émotion ou repoussaient nerveusement une mèche de cheveux rebelles. Tous battaient des tempes. Tous étaient essoufflés. Alors le cheval se cabra sur ses pattes arrière, comme pour s'élancer. Le sang gicla. Il tomba d'un coup sec entraînant avec lui son cavalier.

Le vent s'était tu. Le soleil tournait au mauve. La mer était devenue calme et inquiétante. Pris de panique, tous les enfants s'enfuirent en poussant de petits cris aigus, ne laissant à la grève que l'empreinte de leurs pieds nus. Seul l'enfant agile resta là devant son crime et attendit que la mer se ranimât. Ce qu'elle fit lentement, par petites secousses, à peine frissonnante. Elle vint ainsi chercher la bête par à-coups, en l'enveloppant d'écume. Je venais de naître, un couteau à la main, en tuant un cheval.

Mes parents surgirent de la mer, là même où le cheval s'était immergé.

— Bien fait, petit, dit mon père. Je m'appelle Antoine. Je te présente ta mère.

À peine lui avais-je souri, en me débarrassant du couteau sanglant que je tenais à la main, que mes frères et sœurs surgirent je ne sais d'où.

Alors, alors…

Ce n'est pas vrai. Je suis né comme tout le monde. Et ce n'est pas ma faute. J'aurais tellement voulu me créer, être mon propre père et ma propre mère. Comme je serais bien éduqué ! J'aurais pris soin de moi avec précaution, me serais versé des tonnes de tendresse, de compréhension ; j'aurais eu des patiences subtiles et, avec le temps, je serais devenu ce genre d'homme que tous les hommes ont en horreur, c'est-à-dire un être parfait. Oh, si j'avais pu être mon propre maître !

Quoi ! Suis-je encore fou ? Non ! J'ai la certitude d'être revenu de ma folie, aidé par la mer, par les oiseaux qui viennent du large et se posent sur les rochers. Les galets roulent les uns sur les autres et commettent un bruit saccadé. Voyez comme tout est calme et beau. Nous sommes à Bénalmadena, en Espagne. Des rochers noirs et argentés. Une petite plage où je peux me baigner nu. Comment ne pas être guéri ? Je m'amuse à lancer des galets sur la surface de l'eau. Ma meilleure réussite est à taire tant je crains de faire des jaloux ou d'être invité par une association maniaque à participer aux olympiades des lanceurs de galets. Il fait soleil. Je ne suis plus tellement triste. Je me laisse porter par mes souvenirs. Quand, certains matins, je me réveille avec des larmes, je ne fais plus de complaisance. Je chasse les mauvais jours, je me convaincs de bonheur, je pense aux plus malheureux que moi ou que j'imagine tels. Mais il manque une chose ; je voudrais assouvir un besoin : ne pas être seul, poser ma tête sur des genoux, dire je t'aime, demander de l'affection dont j'ai tant besoin et la donner au gré de ma muable bonté qui se sert en donnant.

Mon été est fini. La saison de la mémoire est
commencée. Elle dégorge. Entrez-y, c'est facile, je
n'ai qu'à descendre la fermeture à glissière de l'étui
qui couvre ma tête. Vous verrez tout. Suivez-moi
dans mes mensonges. Nous en rirons finalement,
puis nous échangerons les masques de nos vérités.

❑

C'est sûrement jour de fête. Le soleil est tellement lumineux ! Une femme est assise sur la banquette d'un petit bateau de plaisance ancré dans le
port du club nautique de Trois-Rivières ; et sur la rivière Saint-Maurice flottent des billots.

Mes parents sont là avec des amis, dont cette
femme qui porte un immense chapeau de paille. Elle
est vêtue d'une robe blanche à pastilles rouges. Le
soleil la darde et la maquille de petites taches de lumière que laissent passer les interstices de la paille
lâchement tressée. Sa voix est métallique, osseuse
comme elle et ses longues mains qui ne semblent pas
avoir fini de croître. Elle s'amuse beaucoup et rit à
gorge déployée. Elle me tient sur ses genoux. Elle est
nerveuse et agitée. De temps en temps, lorsqu'elle
est prise d'une plus grande émotion, elle me serre
très fort contre elle et dépose ses lèvres minces et humides sur ma joue.

— Le cher petit, le cher petit. Vous racontiez
donc…

Je me sens envoûté. Je suis possession de cette
femme. Aussitôt conscient, poussé par une force dé-

mesurée pour ma taille, je me laisse sournoisement glisser le long de ses jambes et, sans attirer l'attention, je la saisis par les pieds et d'un coup sec la bascule, par-dessus bord avec ses rires hystériques que l'eau change en glouglous. Tous croient à un faux mouvement. Ils se précipitent pour regarder, mais la petite embarcation verse. Suis minuscule, si peu lourd ; suis seul à pouvoir flotter sur un billot.

Tout s'estompe pour faire place à un monsieur qui est tout le contraire, gras, immense, avec un ventre démesuré et moelleux comme les oreillers de chez tante Joséphine qui demeure à la campagne où je suis allé quelquefois, moins souvent que mes frères et sœurs, parce qu'elle ne m'affectionnait pas particulièrement et, surtout, parce que j'avais peur des vaches qu'il fallait aller chercher au champ pour le train de cinq heures du soir. Il y avait parmi elles un bœuf rébarbatif dont on m'avait dit qu'il n'aimait pas les enfants et encornait ceux qui n'étaient pas sages. Donc, je n'y allais pas souvent même si j'aimais les oreillers de chez tante. Le ventre du monsieur compensait pour l'instant. Il me prenait toujours sur ses genoux. Cette fois-là, nous étions en voiture, une vieille décapotable, avec un volant en bois et, de chaque côté, de petits leviers dont l'un servait à klaxonner. Je le remue. Le monsieur feint de sursauter et il rit tant que son ventre saute, et mon père assis à côté le rappelle à la prudence, car la voiture va de gauche à droite puisque c'est moi qui tiens le volant. Le monsieur joue dans mon cou avec la pointe de son menton barbu. Il pue l'alcool. Soudain, je donne un coup de volant à gauche. La voiture bifurque et va s'immobiliser contre un arbre. Tous sont morts. Sauf moi. Ce n'est pas vrai. J'aurais tellement aimé !

Comme j'étais petit ! Je ne couvrais pas la grille de la bouche d'air chaud qui montait de la cave et qui formait un carré sombre sur le plancher du couloir, face à la porte d'entrée où je passais des heures et des heures précieuses à jouer dans le confort du courant de chaleur. Quelqu'un vient me prendre dans ses bras. Je vole. On m'inonde de larmes. On m'oblige à des sentiments qui ne trouvent aucun écho en moi.

— Il ne pleure même pas, dit une tante.

— Il est bien trop petit ! À cet âge, on ne comprend pas.

Alors pourquoi m'emmener au salon où je ne vois plus sauter sur sa lèvre la moustache de mon grand-père ? Il est là couché dans de la soie blanche. On lui a fait un drôle de lit. Des cierges sont allumés. Le noir triomphe et assombrit les larmes et les voix gutturales de mes tantes hystériques qui ont l'émotion facile et l'art de se troubler en vain. Apprendre la mort. Mon Dieu, je revois mon grand-père qui me fait sauter sur ses genoux et m'enveloppe de la fumée jaunâtre de sa pipe d'où sortent des cercles provisoires absorbés par mes rires et l'air qu'ils troublaient.

Je vous présente cette famille. Tante Solange, mi-gendarme, mi-garde-chiourme. Ce n'est pas une femme. C'est un monument. Elle m'apparaît énorme, la taille si serrée qu'on dirait toujours qu'elle va suffoquer. Quelle est cette autre qui a l'air d'un homme avec ses cheveux coupés court et sa cigarette ? Telle une abeille, elle veille à tout, décide et tranche tout. C'est elle qui a succédé à la grand-mère morte après je ne sais plus combien d'accouchements. Sa présence est envoûtante, mais dans le mauvais sens du mot. Tout autour d'elle, on semble la craindre et l'éviter. Cette autre encore, fragile comme un soupir et qui longe les murs en marchant pour ne pas offrir sa vulnérabilité à qui pourrait bien lui planter un chagrin dans le dos. Je la trouvais belle. Elle seule avait le droit de me prendre dans ses bras. Je lui étais soumis. D'autres tantes imprécises s'ajoutent au troupeau. On ne les compte pas à cet âge et n'ayant vécu près de cette famille que par ouï-dire, je ne saurais les nommer toutes. Vingt-quatre enfants, m'a dit mon père. Les oncles étaient plus nombreux que les tantes. Tenez, ce névropathe pédéraste qui agite constamment son index sur sa cigarette, qui comme diable ou comme vice se donne chaque fois qu'il ouvre la bouche ou tend la main. On dirait un enfant fou entouré d'adultes fous. Si on l'avait surnommé « le pédé » c'est qu'il devait l'être, même si on prononçait ce mot à voix basse en rappelant à ceux qui s'oubliaient : « Chut ! Le petit est là. Il a de si grandes oreilles. »

Des oreilles ? Je le crois. On ne voyait qu'elles et elles entendent encore aujourd'hui :

— Eh, Ti'Rouge Cabano, t'as les oreilles comme des portes de grange ! Ferme-les, le foin va sortir !

Je répliquais :

— Je vais le dire à mon père.

— Bah ! mon père est plus fort que le tien.

— Oui, mais le mien est bien plus riche !

À court d'arguments, je prenais la première motte de terre qui me tombait sous la main et je la lançais à mon adversaire. Devant la riposte j'attelais mon courage qui m'emmenait vite à la maison. Dans mon énervement j'oubliais toujours le chien des Laurier qui ne manquait jamais de me poursuivre comme s'il avait senti que j'en avais une peur bleue.

— Eh ! Ti'Rouge Cabano, tu te tapes les talons aux fesses !

— Fido, Fido, Fido ! rappelait la grosse Laurier.

Le chien, à regret, la queue battante, retournait vers sa maîtresse qu'il ne tardait pas à imiter en se faisant tout rond sur le paillasson de la porte.

J'ai toujours eu peur des chiens. Peut-être aussi de mes oncles ? Il y en avait tellement : des ivrognes, des alcooliques, des vicieux, un curé, des menteurs, deux médecins, de beaux cerveaux, une promiscuité, de la suspicion, de la jalousie, de l'envie, de la méchanceté et même des qualités.

Pourquoi Dieu ne m'a-t-il pas sauvé de cette famille et épargné d'en subir les avatars, et tout, et tout !

❏

Nous voici nombreux à graviter autour d'une femme qui fait des repas, lave notre linge, nous met au lit, nous assomme de ses commandements et nous rend conscients de son inutilité affective, émotive et intellectuelle. Nous pourrions nous en passer si nous savions comment faire. Elle est mon premier désor-

dre, ma première blessure, ma frustration amoureuse.
J'ai pourtant le goût de ses mains sur moi, de ma tête
contre ses seins et je n'ai rien de tout cela qu'une certaine indifférence pour ne pas dire une certaine ai-
greur. Je devais l'aimer comme j'aimais mon ami.

Le voici qui revient. Il s'appelle Jacques. Il me
ressemble. Il a la larme soudaine et inattendue. Il
sait, comme personne n'a encore su, passer son bras
autour de mes épaules, me raccompagner après la
classe, me donner ce qu'il a ou l'échanger, vider ses
poches sans scrupule, comme il n'aurait jamais osé
le faire devant ses parents, n'ayant pour moi nul secret, mais l'amitié belle et vraie, l'impudeur de ses
bouts de ficelle, de ses coquilles de noix, de ses
vieux timbres, d'un canif difficile à ouvrir. J'ai appris
de lui à vider mes poches et mon cœur.

Je le revois avec sa tête fine aux cheveux bou-
clés, ses dents immenses et parfaites comme son sourire, ses yeux intelligents d'un vert un peu trouble. Il
était ni plus ni moins grand que moi, mais il promet-
tait davantage. Je n'ai jamais pu oublier sa façon de
se vêtir, son pantalon vert, par exemple, et ses chemises colorées dont une, entre autres, d'un gris superbe,
qu'il attachait sur son ventre à l'aide d'un cordon. Et
comme nous avions ri de nous-mêmes, cette fois-là,
en sortant des toilettes, en allant demander à la religieuse de boutonner les attaches de nos bretelles car
nous étions trop petits pour les atteindre ! Quelle
belle complicité !

Mon dernier souvenir est loin. Nous nous tenions
face à face devant le balcon de sa demeure. C'était

une vieille maison en bois, peinte de couleurs sombres et ombragée par un chêne immense. Un chien doux dormait indifférent sur le seuil de la porte. Nous nous sommes regardés si intensément que le désespoir de son regard perce encore les mots que je pose sur cette feuille. Puis, plus rien. Il était malade, m'a-t-on dit. Son père était mort, m'a-t-on dit. Et un jour, sans le voir une dernière fois, j'ai assisté au spectacle des déménageurs qui vidaient leur maison.

Je voudrais me rappeler, pour aller la couper sans scrupule, quelle méchante langue m'avait alors raconté que Jacques s'était suicidé. Est-ce possible qu'un enfant si beau, si pur, qu'un premier ami si tendre vous fausse compagnie, vous prive de sa présence et se prive de la vôtre quand vous l'aimez d'amour ?

Si tu me lisais à l'instant même, si tu pouvais te souvenir de moi et les faire mentir tous.

Ou bien, est-ce un songe ? Ai-je rêvé de lui et de tout cela, ai-je pris mon rêve pour justifier le besoin d'aimer que j'avais déjà ?

❑

Lorsque la porte de la chambre s'est ouverte le visage froid de ma mère s'est montré. Elle me surprenait penché sur les fesses de mon jeune frère en train de chercher le grain de beauté qu'il jurait avoir. Ce n'est pas vrai. Je voulais voir un cul et tel était mon prétexte pour savoir comment cela était fait et parce qu'on entourait de mystère ce qui n'en était pas un.

Ce regard soudain me culpabilisa à tout jamais. J'ai osé un regard sous la culotte forteresse de mon frère. Comment expliquer puisque je suis comme lui, culotte à terre? Quel mal y avait-il? Comment aurais-je su si je n'avais osé?

Vlan! La gifle vole. La punition suit comme si la gifle ne suffisait pas. On me séquestre, on me prive du souper, on prie pour moi et, dès lors, on commence à m'accuser d'être hypocrite, menteur et vicieux; vices que je n'ai pas, mais on croit tellement ce qu'elle raconte que j'avance dans la vie avec des défauts que je n'ai pas. Menteur? J'étais la vérité! Hypocrite? Comment pouvais-je l'être? Tout au plus, avais-je ce sentiment d'avoir commis une indiscrétion et, ma curiosité assouvie, trouvé qu'elle n'en valait pas la peine. Peut-être maman m'a-t-elle toujours regardé en ayant l'impression de voir ce que je venais de voir chez mon frère!

Heureusement pour moi, le lendemain, Agnès arrangea les choses. Je l'entendis dire: «Après tout, madame, ce sont des curiosités d'enfants! Ils ne pensaient sûrement pas à mal.»

Oh! Agnès, quels plaisirs et quelles joies elle m'a donnés alors qu'elle était notre domestique, peu de temps avant d'épouser le frère de ma mère, donc de devenir tante Agnès!

Elle était belle comme savent l'être les Botticelli et noirs les yeux et les cheveux qu'elle portait en chignon sur son long cou laiteux. Elle avait la tâche, après le souper, de donner les bains à la marmaille. Comme j'étais le bambin, j'étais le dernier lavé, le dernier avec lequel elle s'attardait à jouer, aveuglée et comblée par le cristal de mes rires. Ça n'a rien de très original en soi, mais elle avait une façon particulière de m'essuyer.

Voyez-la qui me caresse, qui s'attarde, qui se penche et embrasse mon petit sexe. Entendez-la : « Oh, le beau petit péteux, guili-guili, je le mange ! » Je riais aux larmes. J'érectais déjà à ce rien, le corps sensible, ignorant, tout comme tante d'ailleurs, les conséquences de ces gestes badins. Elle ne savait pas que j'allais longtemps rechercher les mêmes caresses dont les effets se gravaient dans ma chair. Qui peut dire les répercussions de tout cela ? Je les ignore moi-même, bien que le fait d'en parler prouve qu'il y en a eu.

J'aimais cette chère tante. Elle fut ma première passion. J'étais son esclave et j'attendais chaque soir avec impatience et anxiété le violent délire de la baignade. Imaginez ma jalousie quand mon oncle l'épousa ! Lui ? Je ne l'ai jamais aimé, parce qu'il me laissait indifférent et qu'il était amorphe, faible peut-être. Qu'importe puisque les visites interfamiliales étaient encore en pratique à cette époque, car ma grand-mère maternelle vivait. C'était sous son toit que l'oncle Fernand et la tante Agnès s'étaient installés. Nous avions le privilège, quand nous n'allions pas encore à l'école, d'être prêtés à grand-maman pour une semaine.

Odeur matinale du café, tartines de confiture ou tranches de pain rôties puis coupées en petits morceaux et arrosées de bon sirop d'érable. Présences aimées de grand-maman et de tante Agnès. J'étais follement heureux quand mon tour venait de loger sous leur toit, comblé de tendresse et de soins particuliers, et point jaloux puisque l'oncle travaillait et que mon cousin venait à peine de naître. J'avais droit à mon bain. Cependant, ce qui devait arriver arriva. Je commençai d'aller à l'école et le cousin grandit. J'assistai une fois à sa toilette et j'ai encore dans la gorge l'âcre goût de mon chagrin quand je vis tante lui donner son bain et lui faire à son tour des guili-guili. J'étais un petit garçon.

❏

Ce ne fut pas comme un autre jour. Il n'y avait plus de neige, mais il ventait et il faisait froid. Nous étions au mois de mars et c'était le 19. J'avais revêtu un costume de serge noire orné d'un collet de velours, de boutons dorés, de galons aux manches comme en ont les costumes des capitaines. Je portais des pantalons courts, de longs bas en coton beige soutenus par des jarretières et, bien sûr, j'étrennais des souliers. À mon bras, le brassard des premiers communiants sur lequel étaient brodés un calice, une hostie, un lys et des brindilles de blé.

Fier j'étais, avec ma mère et mon père, ma sœur Yvette et mon frère Guy qui allait chanter un solo et faire pleurer toutes les mamans. Étais-je bel et bien pur ? Sans tache ? N'avais-je pas involontairement ou distraitement omis une faute ? Ma confession avait-elle été parfaite ? Et ces raisins que j'avais pris sans demander la permission ; était-ce un vol ? J'avais la conscience troublée par ces raisins. J'avais pourtant confessé les péchés qu'on m'avait fait connaître comme à tous les premiers communiants, sans varier la formule apprise par cœur : « Pardonnez-moi, mon père, parce que j'ai péché. Je m'accuse d'avoir désobéi à mes parents. » Quand ? Impossible de m'en souvenir ! « Je m'accuse d'avoir eu de mauvaises pensées. » Quoi ! J'ai avoué ça, moi ? Mais quelles mauvaises pensées ? Qu'est-ce qui distinguait les bonnes des mauvaises ? « Je m'accuse d'avoir menti à mes parents. » Encore, là, plus moyen de me rappeler quand j'avais menti. Bref, la confession fut ce qu'elle devait être. C'est un ange qui s'est approché nerveusement pour relever la nappe blanche et la poser sur la sainte table.

La découverte d'une hostie sur ma langue. Je mange Dieu. Je suce Dieu qui se dissout. Il ne faut pas le croquer ou le mordre, juste saliver le plus possible, et avaler ça comme une aspirine. J'aimais tellement le petit Jésus que je l'ai gardé longtemps dans ma bouche. Ma bouche était un tabernacle. Mon estomac allait être un tabernacle. J'allais digérer lentement le petit Jésus et en faire un petit déchet. Voilà les antipodes du bien et du mal. Première leçon de morale. Si j'avais eu le malheur de dire ce qui me passait par la tête à ce moment-là, on m'aurait sûrement excommunié ! C'est donc en secret, tiraillé par mes « bon Jésus je vous aime » et mes idées saugrenues que je réussis à avaler la chose.

Pâquerette pour Pâques. Les petites filles. Jacinthe et Mireille et tous les noms des petites fillesfleurs. « Le plus beau jour de ma vie », disaient les grandes personnes : « Tu vas avoir des cadeaux, des surprises ! » En voici l'inventaire : une boîte de chocolats de tante Laura — c'est ainsi que nous nommions la bonne femme reproduite sur le couvercle de la boîte, et qui n'était autre que Laura Secord —, un chapelet supposé bénit par notre saint-père le pape, efféminé, parce que le chapelet était d'un rose niais et qu'il contenait à l'intérieur une sorte de poudre ou de la terre du mont des Oliviers ; une boîte de dattes fraîches, peut-être un symbole des fruits de Jérusalem, et cinquante images de toutes sortes, toutes du même mauvais goût « *Made in Italy* ». Surtout, un crucifix en bois avec un Christ dessus qui avait du sang partout. Du faux sang. Parce que toutes les pièces en avaient déjà un suspendu au mur et que mon crucifix était le cinquième, il alla dans une boîte à chaussures vide qu'on remisa sur la tablette de ma garde-robe. Il devait m'être restitué le jour où je quitterais définitivement la maison familiale. Pour me marier, par exemple.

Dès après le dîner de Pâques, toutes les premières communiantes et tous les premiers communiants se répandaient dans les rues de la ville pour effectuer les visites conventionnelles. « Bonjour, ma tante ! Bonjour, mon oncle ! » Encore des images. Parfois, une tante, moins pieuse peut-être, donnait une image pas comme les autres, avec le portrait de la reine dessus.

— Tu mettras ça dans ta banque.

Pourquoi me donnait-on des cadeaux et de l'argent parce que j'avais fait ma première communion ?

J'ai cru qu'on voulait soudoyer mon âme ou acheter ma jeune conscience. Là encore, je n'osai rien dire de ce que je pensais, mais je vois bien qu'à cette époque, déjà, une semence avait commencé de germer. Aujourd'hui, avec tellement de recul, je sais nommer cette semence. Je dis que le Diable couvait en moi. Il y avait aussi un enfant affectueux et plein de bons sentiments qui couvait en moi. Mais comment se fait-il que je n'aie guère eu de chance de laisser s'épanouir ce cher enfant que j'étais et qui se languissait d'affection? Je ne me souviens d'ailleurs que de rares moments privilégiés quand maman chanta de sa voix superbe des airs que j'aimais.

C'était peut-être sa façon à elle de me caresser car nous étions déjà si nombreux qu'elle n'avait pas le temps de se partager équitablement.

Ainsi quand elle cuisinait, j'avais parfois la grâce de sa patience. Elle me tolérait près d'elle et répondait à mes innombrables questions : « Pourquoi mettez-vous ça ? Pourquoi faites-vous ceci ? Qu'est-ce que la poudre à pâte ? » Soudain, elle semblait incapable de mendurer et elle m'ordonnait de disparaître, de m'« effacer », pour employer son expression. Elle oubliait que j'aimais être près d'elle, que j'aimais la chaleur de la cuisinière et la chaise haute du dernier-né, sans oublier la sécurité que je trouvais à m'y asseoir. J'étais si bien ! J'aurais appris à me taire et me taisant à regarder maman et à l'aimer.

Je suis né en mars 1939. J'avais donc sept ans. J'étais nerveux, petit de taille, fébrile ; j'avais la sensibilité à fleur de peau ; j'étais vulnérable, naïf, crédule, pur jusqu'au bout des ongles, propre comme tout, gai, aimant rire et jouer des tours, peu sportif, sujet à des sautes d'humeur inexplicables, pleurant sans raison apparente, tombant comme l'éclair dans la rêverie, cherchant la solitude de la cave où s'entassaient sur un coin de l'établi des tubes de peinture à l'huile, des pinceaux, des cartons sur lesquels je m'exerçais à recopier scrupuleusement des images de calendrier et des cartes postales, ou jouant au chimiste avec un jeu inoffensif, ne tolérant dans cette retraite que mon frère cadet, beaucoup plus grand et plus fort que moi, au point qu'on avait dû l'envoyer à l'école avant l'heure pour me défendre et me protéger.

❑

Georges vint. Nous y sommes tous allés, ignorant le présage de malheur de cette visite. Nous étions là, l'*Union Jack* dans la main qu'on agitait au-dessus de nos têtes, et portant sur le revers de la veste un papillon à l'effigie du roi. Il apparut quelques minutes à peine, au balcon du train royal, salua de la main, souriant et sûr de lui, et poursuivit sa route, peu intéressé par ces pauvres gens d'un pauvre bled, mais s'y étant arrêté pour ménager les susceptibilités et convaincre une jeunesse affamée de rejoindre les rangs de l'armée où elle trouverait de quoi se mettre sous la dent et à gagner, car on était en pleine crise économique et beaucoup vivaient dans une extrême pauvreté. Je tiens ça de mon père qui parfois m'aide à préciser ces faits et les situe dans l'histoire. Je ne savais rien de la guerre que des racontars et des rumeurs. On allait être bombardés par les Allemands, et ainsi de suite. On priait pour les morts dans les collèges, couvents et dans tous les foyers catholiques : « Mon bon Jésus, faites que tous les Allemands meurent et ramenez-nous nos braves soldats. »

Ah ! tous les jours, à genoux, le chapelet ou le missel en main, derrière maman qui s'accoudait sur le siège de la berceuse, nous répétions : « Mettons-nous en la présence de Dieu et adorons-le. » Les perroquets priaient pour la conversion des protestants, pour une tante qui avait quitté le droit chemin — Qu'est-ce que cela pouvait bien signifier ? nous demandions-nous — pour l'oncle alcoolique, pour les petits Chinois qui allaient mourir sans connaître Dieu, pour ceci ou pour cela et pour nous-mêmes qui demandions à corriger nos défauts dont ceux de l'aîné qui était violent, ceux de la deuxième qui était coquette, ceux du troisième qui était frère du Diable, ceux de la quatrième qui était orgueilleuse et les miens, qui fus toujours l'hypocrite, le menteur et le vicieux. *Amen.*

De la guerre je ne connaissais que les coupons de rationnement, les transactions discrètes que faisaient mon père et bien d'autres commerçants. Ils échangeaient des caisses de beurre contre des pneus, de la mélasse et du sucre contre ceci ou cela ou je ne sais plus quoi que des bateaux, disait-on, venaient décharger durant la nuit. Les Allemands ? J'en connaissais beaucoup et je les trouvais sympathiques. Ils

n'étaient pas dangereux, ceux qui venaient du camp
de prisonniers non loin de la ville, à trois milles de
notre maison de campagne. Ils venaient le matin pré-
cédés d'un camion bleu sur le toit duquel avait été
placé un haut-parleur qui déversait des marches mi-
litaires et qui les entraînait à scander le pas. Au retour, ils avaient le droit de s'arrêter sur notre ferme et
nous allions, mon frère et moi, pomper l'eau qu'ils
venaient boire. Ils nous parlaient en allemand.
C'était charmant ! Parfois nous leur donnions des
fruits ou des légumes du jardin.

Des enfants étaient tués au même instant où ils
nous posaient la main sur la tête ; des milliers et des
milliers de gens mouraient de faim quand nous leur
donnions des fraises ; les cris des gens étaient étouf-
fés quand eux marchaient au son de la musique. Ce
que nous ignorions !

❏

Première école pour enfants de petits-bourgeois.
Costume obligatoire. On m'avait épargné le port de
la casquette car pas une ne me convenait et toutes
tombaient sur mes grandes oreilles décollées.

La sœur Sainte-Thérèse-de-l'Enfant-Jésus me
prit en affection. Ses mains immaculées et fines, ses
doigts pointus aux ongles coupés ras savaient s'arrêter sur la joue du petit diable que j'étais et caresser
ses sourcils. Elle réveillait mon visage qui rougissait
sans comprendre la raison de cette rougeur, complice
sans doute, trop heureux pour me défendre de

l'attention qu'elle me portait et que je recevais à
peine de ma mère. Quand j'avais froid durant les récréations d'hiver, combien de fois me suis-je réfugié
sous sa grande cape, humant l'étoffe religieuse,
jouant discrètement avec le battant de la cloche
qu'elle tenait toujours en main, me rappelant à l'ordre par : « Chhhhuuuut, tu vas attirer l'attention ! »
Que pouvait-elle retirer de ma présence ? Comblais-
je alors ce qui lui manquait ? Était-elle à ce point
femme de projeter sur moi son maternalisme et subli-
mer par des affections pures ses sens prisonniers ?
On m'arrache à elle pour me jeter dans les bras des
bons frères des Écoles chrétiennes dont plusieurs
n'avaient pas la vocation et avaient pris la soutane
pour éviter la conscription.

Il y avait forcément de tout là-dedans. Frère
Amédée-de-la-Joie, singe et seigneur, artiste peintre
à l'eau de rose et aux parfums, efféminé de la tête
aux pieds, impeccablement propre, hystérique
comme une anguille prise au piège, sujet à des colè-
res soudaines et inexplicables qui nous faisaient
dresser les cheveux sur la tête et nous clouaient sur
place. À l'époque des fêtes, alors qu'il dirigeait la
chorale, je l'ai vu tomber sur un confrère avec une
cruauté, une violence et, ce que je ne lui pardonnai
pas, une méchanceté réelle. De là mon horreur de la
méchanceté et telle que je peux, à l'instar du frère
Amédée-de-la-Joie, entrer en colère, mais vraiment,
contre qui est bête ou méchant. Fallait le voir, quelques heures plus tard, complètement métamorphosé,
debout sur la table de ping-pong, expliquer à un au-

tre frère comment prendre la position des anges qu'il allait dessiner sur des cartons et suspendre à des ficelles au-dessus de la crèche de Noël ; lui encore, juste avant la messe de minuit, poudrant les enfants de la chorale revêtus de la soutane blanche des grands jours ; ou armé d'un vaporisateur, patinant sur le parquet trop ciré de la chapelle en soufflant, comme on souffle sur un pissenlit, pour embaumer Noël.

Comment des gens si peu équilibrés, un peu fous, pouvaient-ils prendre charge de la jeunesse ? Comment, tel j'étais, ne pas avoir été impressionné par de tels spectacles, au point que je suis toujours attiré par les êtres sans mesure, originaux, capables de tout, des plus grandes générosités comme des plus inavouables mesquineries ? Êtres paradoxaux, ils jouaient dans ma vie un rôle important parce que différents du cadre familial, de la contrainte, de la sévérité militaire dans laquelle nous étions éduqués, et ils me laissaient croire qu'on pouvait être catholique en étant un peu original.

Il fallait me voir sortir de la classe en sautant comme le frère Amédée-de-la-Joie, poser comme ses anges et souffler dans d'invisibles vaporisateurs sur la vie qui m'empoisonnait déjà. Et pour remplacer la sœur SainteThérèse-de-l'Enfant-Jésus, je trouvai le révérend frère Armand qui se prit d'une grande affection pour moi. J'étais son privilégié, son chou. J'avais droit à des faveurs qui étaient des injustices. Il me gâtait, m'apprenait à jouer de la flûte en me tenant sur ses genoux. Je ne me défendais pas, bien au contraire, car j'aimais ce bel homme qui était correct et sensible et qui me prodiguait des caresses subtiles après la classe quand nous avions fini d'essuyer les tableaux noirs et de secouer les brosses. J'avais alors le droit de poser ma tête sur son épaule, d'écouter la musique et de l'apprendre, fasciné par ma nouvelle maman.

Vinrent les amitiés particulières entre mon cousin germain, le petit Lafrenière, le maigre Serge, Louis le boiteux et moi, Ti'Rouge Cabano. Nous jouions à la tague malade. Ce jeu consiste à toucher quelqu'un quelque part, et qui, dès lors, tenant la main là où il a été touché, se met à courir après un autre pour lui rendre la pareille. Chacun son tour nous courions après le zizi d'un autre pour apaiser nos obsessions et assouvir nos curiosités. Nous eûmes tôt fait d'abandonner ce jeu dès qu'il ne nous parut plus coupable, sans poivre ni sel. Un autre frère vint nous inspirer.

Obsédé et frustré, il aimait les petits garçons. Il faisait sa classe avec une certaine sensualité à laquelle les enfants éveillés ne pouvaient pas être insensibles. Il nous donnait des exercices sur lesquels nous devions nous appliquer ; ce qui lui permettait de quitter son pupitre, de se promener les mains dans les poches de sa soutane, les bavettes au vent, et de nous passer en revue, de s'attarder à ses préférés dont j'étais, caressant de-ci de-là une épaule ou pinçant une joue pour signaler une erreur. Un jour, j'aperçus mon cousin germain qui rougissait quand les doigts poilus du révérend frère se mirent à grimper lentement et sournoisement dans la jambe de sa culotte courte.

À la récréation, il confessa le plaisir trouble qu'il avait éprouvé et me conseilla d'en faire autant. C'était simple : il s'agissait de placer son sexe du côté où le frère venait. J'entends encore le froufrou de sa soutane, je revois la gymnastique inventée pour que rien ne paraisse et je ressens profondément la complicité qui nous liait mon cousin et moi. Le lendemain, pris de remords, je cours à confesse. Pour avoir droit au pardon, on ne trouva rien d'autre à me faire faire que d'aller raconter tout cela au directeur et à mes parents. Quelle humiliation ! Le directeur refusa de me croire. Mon cousin fut appelé et confirma. On nous changea de classe et on laissa le saint frère là où il était. Quant à mes parents, ils ne voulurent point me croire. Cela dépassait leur vision des choses possibles. J'avais donc l'imagination maladive ! J'étais encore plus vicieux qu'ils l'avaient cru et je fus prié de ne plus raconter d'histoires semblables sous peine de sévères punitions, c'est-à-dire d'être privé de souper, de ne plus me servir de ma bicyclette et d'aller me coucher à sept heures du soir, après la diffusion radiophonique d'une émission quotidienne intitulée : *Un homme et son péché.* Voilà comment on punissait les impurs.

❏

Mais pur j'étais. Dieu que je l'étais et les statues de la Sainte Vierge m'ont vu pleurer bien des fois mes péchés d'ignorance et d'innocence ! Quand l'ostensoir, brillant sous les lumières, nous était montré, je ne savais pas baisser la tête car je trouvais stupide de l'incliner devant Dieu qu'il fallait regarder bien en face. Je regardais donc. Je lui parlais à ce morceau de pain, je l'appelais Christ, et nous étions des copains. Je restais souvent dans son église, impassible et rêveur ou avec un livre en main pour lire dans cette maison divine qui était plus calme que les bibliothèques. Hélas, ces joies sont lointaines. Il n'en reste rien, tant j'ai été écœuré de Dieu, de ses églises, de ses représentants et de tous ceux qui constituent sa gang. Comment expliquer ça dans une famille canadienne-française, catholique comme la mienne l'était, et quand mon père qui vit encore et pour lequel j'éprouve une affection profonde et un infini respect, qui n'a rien à voir avec mon impudeur, le recul aidant, remémorant cette époque, se contente de sourire et de dire : « Ah ! si j'avais su ! » Que voulez-vous, ma mère était comme toutes les bonnes femmes religieuses et bornées et n'avait, semble-t-il, nul autre but dans la vie que de nous contraindre à la prière en famille, à la messe quotidienne du carême et des saintes fêtes des saints patrons des saintes occasions. Surtout, il fallait communier.

Pour quelle raison sautais-je les communions ? Ce devait être une chose entre lui et moi, une faim de moi à lui et cela — devais-je croire — ne concernait personne. Rentrant à la maison, après la messe, il y avait toujours une grande langue pour me dénoncer. Quoi ? Je n'avais pas communié ? Quel péché épouvantable avais-je dû commettre ? Il fallait coûte que coûte aller à confesse. Mon pauvre père et nous les enfants nous montions dans la Chrysler et on se laissait conduire à l'église où nous prenions place dans un banc, les uns près des autres, pour l'édification des voisins. Et papa, plus discret, se tenait à l'arrière, et veillait à ce que tous aillent au confessionnal.

— Mon père, c'est ma mère qui m'envoie parce que je ne veux pas communier.

— Je vous écoute, mon enfant.

— Mon père, je m'accuse. Je m'accuse d'avoir bu un verre d'eau. Je m'accuse de m'être lavé les dents et d'avoir avalé de l'eau. Et tant qu'à y être, mon père, je m'accuse d'être vivant.

« Mais il est fou », me disais-je, lorsqu'il s'empressait de fermer le guichet sans m'avoir donné l'absolution.

Je quittais le confessionnal la gueule fendue jusqu'aux oreilles, jetant un coup d'œil à mon père qui hochait la tête de contentement.

Et quand tous y étaient passés, on remontait dans la bagnole. Ça puait tellement l'état de grâce là-dedans qu'on aurait dit que la voiture allait s'envoler et survoler la maison de campagne où nous aurions pu envoyer des *bye-bye* à maman, heureuse de voir tous ses petits saints monter droit au ciel ayant tous été épargnés de la sexualité.

Si elle avait su ! Ce qui s'appelle savoir !

❏

Longtemps, à me regarder, j'éprouvai un vif sentiment de culpabilité. Mes organes sexuels étaient fonctionnels et je devais les considérer comme tels. Chaque regard, chaque toucher était suivi d'une rougeur à mon front. Je n'avais pas le droit de me connaître. Érecter était une faute grave et je devais faire comme on m'avait dit : « Si ton corps durcit, il faut que tu coures, que tu joues, que tu occupes ton cerveau. L'oisiveté est la mère des vices. »

C'en était assez pour que je parte comme une flèche et me mette à courir dans la cour ; ce qui faisait dire à maman : « Tiens, le nerveux qui fait une crise ! » J'étais délivré du mal, pour l'instant du moins, sachant bien que la nuit venue, je me coucherais, me défendrais de ces contractions doucereuses avec lesquelles j'allais m'endormir coupable. Dormir coupable tant de nuits pures de mon adolescence, au point que cette culpabilité devint nécessaire, que rien n'allait plus sans elle. Or, une nuit, je me réveillai et constatai que le phénomène se produisait durant mon sommeil. Cela ne dépendait donc pas uniquement de ma volonté, de mes désirs ? Étais-je normal ? Mes frères étaient-ils comme moi ? Il fallait le leur demander. Lequel offrait le plus de garanties et n'irait pas me trahir ? Je partageais le lit de l'aîné et je décidai de lui avouer mon trouble. Il se couchait plus tardivement que moi et je m'endormais toujours avant d'avoir pu lui parler. Un autre de mes frères se chargea de mon éducation sexuelle en se prêtant à des comparaisons et à des expériences qu'il n'est pas besoin de raconter. On se touchait dans la crainte d'être surpris et avec trouble, avec angoisse, avec je ne sais plus combien d'autres sentiments morbides. Si on nous avait surpris on nous aurait infligé une punition exemplaire sans même tenir compte que nous étions déjà en enfer, car on y était vraiment toute la semaine ou jusqu'au samedi soir alors que nous étions traînés au confessionnal.

L'idée me vint que j'étais malhonnête en promettant que je ne recommencerais plus quand j'étais sûr du contraire. Ce jeu du repentir et du recommencement eut une importance majeure dans le cheminement de ma jeune foi. J'allais trancher la question une fois pour toutes et toujours opter pour le recommencement. Tant pis pour la foi si elle ne savait pas s'accommoder de ma logique ! D'ailleurs, l'hypocrisie me répugnait et je ne me voyais pas toujours confesser les mêmes fautes sans me poser certaines petites questions. Ainsi, pourquoi Dieu m'avait-il créé, lui qui sait tout, pour me placer dans un pareil état ? Dieu était bon, juste. Fallait-il que je lui parle d'homme à homme et lui explique : « Écoute, tu le sais bien, l'autre jour, après la confession, je t'avais promis. J'avais juré. Tu vois, j'en suis au même point ! »

Une fois pour toutes, le bon Jésus est descendu de sa croix, s'est calmement assis sur mon lit et m'a dit : « Ne te tourmente plus. Tu sais bien que je suis comme toi. À moi aussi cela arrive. » Il dénoua le nœud qui retenait le linge sacré qui lui ceignait la taille et se montra nu. Il était en érection. Je n'osai pas regarder, pour sûr, tant j'étais gêné et rougissais jusqu'à la racine des cheveux, cependant je trouvai la force de crier de ma voix la plus désespérée un « maman » qui ébranla toute la maison. Mes frères qui partageaient ma chambre sortirent de leur sommeil. Maman et papa accoururent comme s'il y avait eu un incendie. On fit de la lumière. On se rendit compte que je venais de rêver.

— Tu vois, dit-elle à mon père, il y en a toujours un qui fait un cauchemar quand on leur donne de la viande au souper.

Jusqu'à ce jour personne n'a jamais eu vent de cet étrange rêve. Dès lors, une complicité réelle s'établit entre Jésus et moi. Non, il ne descendit plus jamais de sa croix, mais je pensais à lui comme à un homme chaque fois que j'avais besoin de l'appui d'un homme. Ce fut une amitié formidable. Je lui racontais tout ; je lui faisais part de tous mes doutes, de toutes mes inquiétudes. Je m'efforçais de l'imiter en tout point pour devenir semblable à lui. Pas Dieu, mais son frère. Et si je ne suis pas un vrai saint, j'ai eu maintes occasions de le devenir. On ne s'est malheureusement jamais mis d'accord lui et moi sur les moyens, tant je sortais des sentiers battus et en découvrais d'autres — c'est la seule façon — pour atteindre à une sainteté non orthodoxe.

Je suis encore comme ça. C'est encore mon ambition mondaine. Je le dis en souriant à qui veut l'entendre. Et tant pis si on me croit ! Ou tant mieux !

« Et le fruit de vos entrailles est béni. » La religieuse qui nous enseignait le Je vous salue Marie pleine de grâce portait la main à sa poitrine chaque fois qu'elle prononçait le mot *entrailles*. J'en déduisis que les entrailles étaient des seins puisque les mots *sein*, *enceinte* et autres, sauf *saint*, n'étaient jamais prononcés à la maison : dans les journaux de fin de semaine, bien pourvus en bandes illustrées, il était fréquent que nous puissions voir au travers du journal car des trous avaient été pratiqués par la censure familiale là où les décolletés étaient trop évidents et les pubis trop dessinés.

Un jour, entrant à la maison, je surpris la femme de ménage en train de laver le plancher. C'était une personne immense qui débordait sa robe et dont la poitrine démesurée n'était pas soutenue par un soutien-gorge. Ses seins, pressés l'un contre l'autre, formaient une longue raie. Je m'assis sur la première chaise offerte, les pieds sur le siège, le menton appuyé sur les genoux et je m'en mis plein la vue. Enfin ! j'avais le droit de voir ! Pour une fois je pouvais me régaler, car mes sœurs, alors scrupuleuses, et ma mère, qui ne donnait pas sa place, étaient toujours vêtues de robes modestes. Ce ne furent pas les seins qui occupèrent mon attention, mais leur rencontre et ce qu'elle laissait supposer. J'avais devant moi un gouffre, un précipice. J'avais le vertige. Comment un enfant pouvait-il sortir de là ? Comment faisait-on pour déposer le pollen ? Mon imagination suggéra des attitudes et des gestes. Je fus complètement troublé. Il me fallut retourner à confesse et m'accuser d'avoir complaisamment regardé des entrailles et d'avoir entretenu de mauvaises pensées.

Vous direz peut-être que j'exagère ? À peine ! Seulement dans la manière de poursuivre ce récit.

M'en voudrez-vous de ne pas tenir compte d'une certaine chronologie que vous êtes en droit d'attendre ? Je raconte, comme cela me vient, au gré de mes souvenirs, au large de cette rive que fut mon enfance et qui est peut-être comme la vôtre, quand tout revient, au travers d'une sorte de brouillard, ne sachant si le passé a été vrai, si les souvenirs sont justes, s'ils ont le droit d'être et si on peut les laisser témoigner.

— Jurez-vous de dire toute la vérité, rien que la vérité ? Posez votre main droite sur l'Évangile et dites : je jure.

— Je ne jure que sur moi-même, mon honneur !

Ah, qu'importe ce passé ; je ne le possède plus ! Si je m'y réfère, ce n'est pas par complaisance, mais pour montrer qu'il m'explique et que j'en résulte. Je viens de là. Je viens de loin. Je viens de mon ignorance. Et vous ? N'en voulez-vous pas à ceux qui savaient et qui connaissaient ; n'en voulez-vous pas à leur faiblesse, à leurs scrupules, à leur honte ? Ils ont détruit l'innocence.

Après ce qui vient d'être dit comment poursuivre ? Suis un peu mal à l'aise. Mais c'est plus fort que moi : comme un gros oignon qu'il faut éplucher couche par couche, pleurant sans avoir de peine. Suis-je un oignon ? Oui, en conserve, car nous étions tenus de ne pas sauter la clôture de la cour sise derrière la maison. Ce vase clos sans verdure et sans fleurs que nous ratissions plusieurs fois par jour, appliqués à dessiner des rayures sur la terre sèche avec les dents du râteau, comme dans les jardins japonais. Nous partagions nos jeux, les uns sur les autres ou avec de rares amis qui venaient se soumettre à la tutelle de maman.

Nous faisions part de nos découvertes, de nos troubles. Nous avancions, riant les uns des autres, tous aussi ignorants et bêtes, livrés à nos imaginations vives, inventant je ne sais plus quoi pour apaiser nos curiosités ; ainsi, creuser un trou dans la terre et inviter la plus jeune de mes sœurs à y faire ses besoins.

Beaucoup plus jeune que nous, une girouette, elle se prêtait à nos fantaisies et, pressés de voir, nous oubliions qu'elle était bavarde et qu'elle irait tout raconter à ma mère ; que nous serions sévèrement punis, traînés à confesse, traités de vicieux et de dépravés. Les fesses serrées, nous attendrions le retour de mon père qui aurait la charge de nous donner la fessée, plus tard, après le souper, quand maman lui aurait fait l'inventaire des péchés de la journée.

Nous savions payer le prix ! Toute découverte ne s'accompagne-t-elle pas de sacrifices ?

Suivait une période d'accalmie. Je trouvais à mes désarrois, me complaisant dans ma tristesse et mon merveilleux ennui, un lieu de refuge sacré. J'aimais la cave. J'en avais fait ma retraite. J'y suis devenu moi. Le jeu dans la cave, dans la lumière tamisée, dans des coins d'ombre, avec des fantômes, des squelettes, des morts imaginaires, des meurtres multiples, le sang dans l'âme. J'y ai violé des entrailles, j'y ai enfanté des monstres en n'ayant l'air de rien, apparemment occupé à copier des cartes postales ou à lire du Mauriac, ou encore, à casser les morceaux de bois des caisses de beurre vides qui, comme je l'ai dit, servaient à allumer le feu ou, à l'occasion, à donner la fessée.

Me voyez-vous maintenant, assis bien sagement sur la chaise haute du dernier-né qui repose dans son berceau ? Je suis là, près de la cuisinière d'où s'échappe une bienfaisante chaleur. Je suis dans la lune. Je rêve à je ne sais quoi. Un monde m'envahit, un autre m'angoisse, un troisième surgit quand j'observe ma mère, mes frères et sœurs. Comme en un rêve prémonitoire, je les vois dans l'avenir, je leur assigne des fonctions : celui-ci sera bandit, celui-là est déjà une loque ; cet autre qui dessine sera un opportuniste ou un arriviste. Ah, comme celle-là est insatisfaite toujours et envieuse et jalouse ! Et moi, saint Marcel, je suis un ange, porté par mes zèles. Mais, ma foi, je vole ! Non, je ne vole pas, je suis terre à terre et vermine. Maman a raison, suis le vice incarné. Elle ne pourra plus me le dire, car elle va bientôt mourir. Ils vont tous mourir. Je vais être seul. Seul ? Horreur ! Je ne pourrai plus aimer personne, privé du plaisir de rêver qu'ils me donnaient tous. Guy ne m'apportera plus de chocolats au lit, il ne me protégera plus par ses affections ? La voix d'Yvette se taira pour toujours, je ne l'entendrai plus réciter les poèmes de Musset qui m'emportaient dans la musique et le miracle des mots ? Je ne pourrai plus embrasser Claire ? Et mon complice, ce cher Gaston, ne partagera plus mes jeux ? Je perdrai le plaisir de promener ma jeune sœur par la main et de pousser tendrement le landau du dernier-né, Louis ? Cela ne me fait rien ! Il peut mourir celui-là. Non ! je perdrais un complice de découvertes, de toucher. Ne pourrais plus regarder comment il se métamorphose et par là me vérifier. Et si papa mourait, ce serait bien triste ! Qui attendre dès cinq heures ? Qui poserait alors sa main sur ma tête et de son autre bras tendu offrirait un cadeau à maman ? Soudain, je me mets à pleurer, par besoin de tristesse, par nécessité de larmes, par obligation biologique, par folie.

Déjà ?

Alors, ma mère m'aperçoit, me regarde sévèrement, car elle ne comprend pas que je pleure sans raison apparente, là, sagement assis sur cette chaise haute.

— Mais, qu'est-ce que tu as ? dit-elle sans colère, avec curiosité.

Je ne réponds pas. Je ravale mes larmes. Je me diminue. Je vais mentir pour n'avoir pas à lui confier les pensées qui me bouleversent.

— Pourquoi pleures-tu ? insiste-t-elle, cette fois contrariée par mon silence.

Je ne réponds pas, par crainte. Honteux, peut-être !

Son bras se lève, spontanément, et je reçois une gifle.

— Tu vas pleurer pour quelque chose, tranche-t-elle.

C'est assez pour que je fonde en larmes, que je m'enfuie dans ma chambre pleurer tout mon soûl et souhaiter, par vengeance de faible, qu'elle meure sur-le-champ.

Je ne demandais qu'à l'aimer, bon Dieu! Je n'étais qu'amour. Pourquoi la confiance mise en elle s'était-elle dissipée? Si elle avait été moins sévère, plus juste, moins scrupuleuse, ouverte d'esprit; si elle nous avait bien aimés nous l'aurions bien aimée. Elle a eu le don de susciter des mouvements contraires. Si on lui doit quelque chose, c'est d'être tout à fait à l'opposé du portrait qu'elle a tracé de nous. Les bons sont devenus un peu moins bons. Ceux qui étaient comme moi, sujets à des défauts innommables, se sont corrigés pour la faire mentir.

Je ne suis pas orgueilleux, je ne suis pas menteur, je ne suis pas hypocrite ou vicieux. J'ai un terrible défaut, impardonnable, et je devrais lui en vouloir: je suis honnête. Malheureusement honnête.

Jusqu'alors je ne connaissais pas le mépris; à peine l'indifférence. C'est elle qui a eu soin de me l'enseigner. C'était un dimanche, et maman partait pour la messe, avec papa. Comme les plus vieux n'étaient pas encore revenus, sans doute à cause de la longueur du sermon, on m'avait confié la garde du dernier-né — qui ne quittait pas encore sa chaise haute — juste le temps d'attendre le retour de la deuxième équipe pieuse qui devait revenir de l'église à l'instant.

Que m'importait de surveiller un bébé dans sa chaise haute! Il ne pouvait que téter son jouet de caoutchouc, se faire les dents, ou frapper de ses petits poings la tablette de sa chaise. J'étais assis par terre, près du poêle, et je lisais les histoires fantaisistes de *Signe de Piste*. Après que mes parents eurent tourné le dos et refermé la porte sur eux, j'entendis un cri épouvantable, perçant, éternel, dont l'écho ne s'est jamais complètement éloigné.

Je sursaute, le livre vole de mes mains, je me lève et me précipite au secours du bébé qui a tiré vers lui le dessous-de-plat sur lequel on venait à peine de déposer la bouilloire d'eau bouillante. Je ne comprends pas. Je suis trop surpris. Je sais qu'elle contenait la bouteille de lait que ma sœur devait lui donner dès son arrivée. Je suis pris de panique. Il crie désespérément. Sa peau lève déjà sur le côté du visage et sur son petit bras. Il s'agite. Je veux le prendre dans mes bras mais je ne sais pas comment le toucher sans lui faire mal davantage. Guy et Yvette reviennent de la messe. Je n'ai pas le temps de raconter ce qui vient de se produire que Yvette est au téléphone, que Guy s'empresse, après m'avoir giflé, d'enduire le petit d'huile d'olive et de l'envelopper.

Silence complet. Tout le monde est blême. Le médecin est là qui prodigue les soins. Je suis zéro. Mes parents ne vont pas tarder à rentrer. Les voici. La porte s'ouvre. Ils sont de bonne humeur. Mon cœur s'immobilise. Je vais sûrement être puni. Je vais exploser, c'est sûr. Ou perdre connaissance ? Si je pouvais ! On parle à voix basse comme si la mort était à la porte. Et ma mère se retourne alors dans ma direction.

Je n'oublierai jamais ce regard, la dureté de ce regard, la haine de ce regard. Je venais de toucher à ce qu'elle aimait le plus au monde : ses bébés, celui-là comme les autres, qu'elle ne tarderait pas d'ailleurs, inconsciente femme à poupée, de négliger dès que le suivant naîtrait. Elle me dit alors, pleurant de colère, de rage : « Je ne te pardonnerai jamais. »

Je sortis à la hâte, sous le coup de cette sentence, sans savoir où aller, sans pouvoir m'expliquer, sans pouvoir lui dire qu'elle était responsable, qu'on n'assoit pas un bébé près d'une cuisinière, qu'on ne met pas à sa portée une bouilloire brûlante.

Hors de la cour, je me mis à courir, comme si j'avais été poursuivi par elle et n'entendais plus que cette phrase : « Je ne te pardonnerai jamais ! »

Au coin de la rue, je m'arrêtai et je fondis en larmes. Combien de temps suis-je resté là, recroquevillé sur le trottoir, appuyé sur le mur en briques rouges de la maison des Greene, en attendant je ne sais quoi, comme fou. Je n'avais plus de mère. Mon jeune frère serait marqué pour la vie. J'en serais éternellement coupable.

Quand le calme revint à la maison, que le petit fut hors de danger, on se mit à table. Je manquais. On envoya Guy à ma recherche, mais il n'eut pas idée que j'avais pu enfreindre le règlement et sortir de la cour.

Comment papa a-t-il pu deviner où je pouvais être ? Il était là, devant moi, impassible, comme si rien ne s'était produit. Calme même. Il m'a tendu la main : « Allons, mon vieux, on te cherche. Viens manger. »

Il m'avait appelé « mon vieux », il s'était donné la peine de venir me chercher ! Il m'aimait donc ? Je le suivis, la main dans la sienne et, pour être à la hauteur de sa bonté, je fis l'impossible pour ravaler mes larmes.

— Tu sais, il ne faut pas en vouloir à ta mère pour ce qu'elle a dit. Elle était sous le coup d'un choc. Tu sais bien qu'elle t'a pardonné. Ce n'est pas ta faute.

Si je venais de perdre ma mère, je venais de gagner un père. Je me jurai, dès lors, de ne jamais le décevoir.

Tous les regards se tournèrent vers nous quand nous entrâmes dans la maison. Ils étaient tous à table et achevaient de manger le potage.

— Sers-le, dit ma mère à papa ; moi, je le renie.

— Allons, allons, dit papa. Est-ce que tu veux de la soupe ?

Je fis signe que oui. Il me servit, contrairement à son habitude, et je mangeai, me sentant jugé par tous, sauf par lui.

Alors, avec un curieux courage, je levai le nez de mon bol, braquai les yeux droit vers ma mère qui m'observait et lui rendit violemment ce regard dont elle m'avait foudroyé en rentrant de la messe.

Je ne la détestais pas, je ne la haïssais pas, je la méprisais.

Avec le mépris commença une ère nouvelle ; il devint une attitude commune et nous l'appliquions à tout ce qui était ou nous paraissait méprisable, entre autres les punitions, leur démesure et leur non-sens.

Pourquoi être puni le soir pour une faute commise le matin, quand nous avions eu toute la journée pour la réparer, fût-ce dans la perspective de la sanction à venir dont l'idée seule valait mille autres peines ?

Quand papa rentrait, le soir, avec son cadeau quotidien pour maman, une joie inquiète animait la maison. Il représentait quelque chose, un apaisement, nous l'aimions plus que tout, papa gâteau, incapable de dire non, bon, même bonasse. Après s'être lavé les mains, il venait s'asseoir à table avec les plus vieux qui avaient le droit de partager son repas. Nous, nous étions de la première tablée, ce qui permettait à ma mère de se débarrasser de nous, comme elle le disait, et de manger en paix.

— Comment ç'a été, aujourd'hui ? demandait papa.

Maman commençait à se plaindre de son travail, de ses migraines, de ses enfants, et nous comparaissions, coupables, devant le juge familial.

— Raconte ce que tu as fait ce matin.

Elle le racontait plus souvent que nous qui tremblions de crainte et qui ne savions pas comment confesser nos peccadilles.

— Celui-là mérite une leçon. Celui-ci devrait être privé de dessert toute la semaine.

Parfois, quand l'offense paraissait dépasser la mesure, on chargeait l'un des garçons d'aller à la cave et de choisir, parmi la pile de copeaux, un bâton pour corriger le coupable. Cette manœuvre donnait prise à des vengeances fratricides. Si mon frère avait quelque différend avec moi et qu'il était élu, il choisissait, avec soin, le bâton le plus épais, le plus résistant, qu'il éprouvait en le frappant sur chacune des marches de l'escalier. Si les relations étaient amicales, il était de mise de choisir un bâton qui avait un nœud, de sorte qu'il ne remplisse pas complètement son rôle.

Moi, j'étais souvent corrigé par une gifle spontanée, mais, les autres !

Quand Gaston décida de quitter la maison, parce que ma mère et lui s'étaient disputés, il avait dit : « Je m'en vais ! » (Ce qui était une simple menace d'enfant.) Maman lui avait répondu : « Mais, va-t'en ! Je n'ai pas besoin de toi. »

Il était monté à sa chambre, s'était fait un baluchon dans lequel il avait mis ses affaires personnelles. Il avait vidé sa tirelire et était passé chez un brocanteur pour liquider sa marchandise en échange de quelques cents. On ne l'avait pas vu de l'après-midi ni de la soirée, encore moins de la nuit. La police fut prévenue. Ma mère commença à s'inquiéter drôlement, comme nous tous d'ailleurs. Le lendemain soir, au soleil couchant, il fit son apparition, escorté de deux policiers. Aussitôt, il fut prié de gagner sa chambre, nous de le suivre pour assister à la correction qui, selon ma mère, devait être exemplaire. Je le revois, à genoux, au pied du lit, nous tous le regardant avec malaise, tremblant pour lui, appréhendant le pire. Il tendit la main. Il cria avant de recevoir les coups de ceinture.

Un, deux, trois ! Il ne compte pas les coups. Papa, énervé, en colère contre lui-même, hors de retenue, obéissait à maman, s'en voulait peut-être de ne pas avoir la force de s'imposer et d'imposer une autre forme de punition. Ma sœur aînée tomba sans connaissance. Nous pleurions tous. Je me suis mis à haïr ma mère. J'avais envie de fouetter mon père, de me sauver à mon tour, d'échapper à un univers qui ne me convenait plus.

Je crois que cet exemple n'a servi à rien ! Car plus tard, falsifiant son âge, avec la complicité d'Antoine qui consentit à signer les papiers, il s'engagea dans la marine.

— Ouf ! quel soulagement, s'écria ma mère, en voilà au moins un de casé pour cinq ans !

Elle mourut avant qu'il ne revienne. Il avait dix-huit ans.

Ce n'était plus le même. Il avait perdu sa fraîcheur. Il était révolté. Ne croyait plus en rien. Ne souhaitait plus rien. Il était déjà terriblement blasé.

Cette scène nous marqua tous profondément ! C'est en extrayant de ma mémoire de tels souvenirs que je peux en mesurer toute la portée. Nous commencions à grandir, à échapper à la tutelle familiale, comme tous les enfants qui atteignent un certain âge et éprouvent le besoin de se singulariser. Nous avions déjà trop de choses en commun : la couleur de nos cheveux, nos taches de rousseur, et notre sensibilité, pour que nous continuions à nous singer les uns les autres pour faire corps ou pour faire vraiment famille.

Je ne juge pas mon père. Je ne juge pas ma mère. Je ne juge personne. Mais, Dieu, je revois mon père montant l'escalier, j'entends ses pas sur les marches, il me semble que la ceinture qu'il enlève autour de sa taille émet un sifflement qui ne finira pas. Tous, nous sommes debout, les mains derrière le dos, dans les poches ou jointes comme celles de mes sœurs. Seul, à genoux pour l'humiliation, mon frère attend la punition.

Et maman, pourquoi demeurait-elle froidement assise au boudoir, son éternel tricot dans les mains ? Peut-être pleurait-elle ? Elle l'aimait plus que les autres. Il lui avait donc échappé plus que les autres. Elle se punissait peut-être ? Allez démêler ces sentiments. Je n'y comprends rien. Restent, comme une photographie, des détails nombreux : les persiennes vertes qu'une main avait pris la peine de fermer, les rideaux blancs immobiles qu'aucune brise ne troublait, les lits de fer avec leur couvre-lit de chenille.

— C'est assez, papa, je ne recommencerai plus !
Papa faisait le sourd.

Il se produisit un changement dans la famille et naquit une sorte de complicité entre frères et sœurs à l'exception de Louis ; une complicité contre l'injustice, contre la sévérité. Gaston avait eu raison de partir, nous disions-nous, puisque maman avait dit qu'elle n'avait pas besoin de lui. Et si cela fut dit en riant, sans arrière-pensée ou sans méchanceté, le résultat n'en avait pas été moindre et la phrase n'en avait pas moins été dite.

❏

Ah ! coucher avec sa mère et lui montrer qu'on est un homme !

Peut-on être frustré d'un inceste ? Je voulais être Œdipe : j'ai perdu.

Mon affranchissement s'est fait avec une lenteur de lézard. Je me chauffais au soleil des coupables, l'œil à peine ouvert et aussitôt refermé par la lumière des responsabilités. J'étais ce qu'on appelle un enfant très très bien élevé. J'étais toujours très propre et même très élégant. Si on me faisait compliment sur ma tenue, si on me citait en exemple à l'école, cette attention m'arrachait des larmes. Je ne voulais pas être mis en vedette. D'ailleurs, c'est à ma mère que revenaient les compliments car c'était elle qui choisissait nos chemises, nos complets, nos bas, nos cravates et nos chandails. Elle choisissait tout. Elle décidait tout. Elle avait du goût. Elle le transmettait : « Avec ton gilet gris, tu mettras ta chemise jaune et ta cravate noire. N'oublie pas de cirer tes chaussures. Je ne voudrais pas avoir à rougir de vous. »

Elle était fière, nous devions l'être. On ne déroge pas à sa mère en quoi que ce soit. Pour ce qui est des compliments on ne manquera pas de les lui rendre. Ils lui appartenaient. Une frustration de plus ! Étais-je intelligent ? Me le disait-on ? Ça lui revenait. Elle m'avait fait. Mais pourquoi pleurais-je alors, devant toute la classe, après avoir rougi comme coquelicot ? Peut-être parce qu'elle m'avait inculqué la modestie, tant elle répétait : « On ne se met jamais en évidence. Il faut savoir s'effacer. » Donc quand j'attirais un compliment, je me sentais coupable, je manquais à un règlement. De cette manière, chez moi ou chez les autres, on préparait la révolte et on la cultivait. Elle sera une réussite. Mes quatorze ans la verront éclore, spontanément, comme une expérience chimique, ou biologique ; tout étant sous cloche, il suffira d'un peu d'oxygène.

La décision fut prise en juillet, un soir, au souper. Maman décida de nous envoyer au pensionnat, mon frère et moi.

— Il est temps que je respire, dit-elle, et qu'on vous confie à des prêtres.

Sauf exception, nous devions tous aller au pensionnat. On décida du collège séraphique, où l'un de mes oncles avait failli être canonisé.

Il était entré jeune dans les ordres et, — comme c'est romantique ! — il y était mort de phtisie. Nous avions notre Chopin. Tout ce qu'on a pu dire de lui ! On nous le proposait en exemple. On trouvait de l'oncle saint dans la manière de manger la soupe, de jouer, de se laver, de dormir, de travailler, de vivre quoi ! « Ton oncle n'aurait pas fait ça. » « Si ton oncle te voyait. » Heureusement, quand le supérieur du collège nous eut auscultés, il jugea, en détecteur de vocations, que nous n'avions pas l'étoffe. Maman voulait tellement compter un religieux dans la famille ! Elle avait décidé que ce serait moi. J'allais, en serre chaude, perdre mes vices. J'allais me sanctifier.

Comme on nous refusait le chemin de la sainteté chez les Capucins, on nous envoya dans un collège classique reconnu et de bonne réputation, où Georges-Étienne Cartier et Louis-Joseph Papineau avaient usé leur fond de culotte.

— Vous n'avez qu'à faire comme eux, vous réussirez dans la vie.

Si vous croyez que Gaston et moi trouvions ça
drôle ! On n'avait rien à redire. On se laissa faire,
comme des objets qu'on place dans les valises : tant
de mouchoirs, tant de paires de bas, tant de ceci ou
de cela. Il ne restait plus qu'à nous expédier.

Attention ! il y avait risque ! Deux de moins à la
maison. Comment allions-nous lui revenir ? Si on allait nous changer ? Elle fut prise de panique à l'idée
qu'on ne lui appartiendrait plus.

— Rappelle-toi, Antoine, disait-elle, ce qu'on a
fait de nos filles.

Elles avaient découvert dans le sillage des religieuses ce que des jeunes filles ne doivent pas savoir. Elles avaient eu des expériences homosexuel-
les, qu'elles m'ont racontées. Et puis l'hygiène ?
N'en parlons pas ! Même qu'Anne m'a expliqué
comment on lui avait fait honte avec ses premières
règles, cette punition mensuelle envoyée par Dieu
aux femmes du Québec ! Sans doute les religieuses
agissaient-elles ainsi parce qu'elles ne répondaient
pas à l'appel de la race. On prenait son bain avec un
maillot, on couchait avec de longues, de modestes
robes de nuit, on ne mettait jamais ses mains sous
les couvertures. Mieux, chez les bons frères, il y
avait près des baignoires des petits pots de poudre
qu'on appelait «poudre de chasteté», qu'on devait
jeter sur l'eau pour qu'en se penchant on ne puisse
pas se voir.

Si ces gens-là n'étaient pas anormaux, je voudrais bien les revoir aujourd'hui, tous, pour les crucifier ou les trouer à la mitraillette ; j'irais même en

pendre quelques-uns par le sexe sur les cordes à linge des archevêchés !

Je vous raconte quelque chose de pire, que je n'ai pas inventé, qui n'est pas d'un fou. Je sais ce que je dis. Je le raconte pour montrer l'esprit de ceux dont je parle.

Il y avait dans ma ville natale, disait-on, un virus moral qui ravageait les âmes. Des bordels surgissaient, ici et là, parce que c'était la guerre et qu'il y avait des prostituées et que les mœurs couraient comme folles vers la liberté. On empêchait la famille. Allez donc imaginer ce que des gamins, comme moi et comme les amis, comprenions à cette chasse à l'impureté ! Nous ignorions totalement ce que signifiait le mot *putain*, et pour ce que nous savions de la famille, impossible d'y associer le mot *empêchement*. Par association, j'imaginais une clôture comme celle que nous avions dans la cour, mais pour toutes les familles, ou une sorte de couvre-feu. Un matin, le directeur de la chorale nous réunit tous dans la salle d'études où nous tenions nos répétitions. Sans explication préalable, il nous entraîna à dire ensemble, sur un ton suppliant et grave, comme si nous avions appelé le ciel ou si nos voix étaient montées des enfers : « Nous voulons vivre. » Il fallut quelques répétitions pour que nous atteignions la perfection désirée. C'était sûrement impressionnant d'entendre, du haut de nos six ou dix ans, ce cri pur d'anges aux voix efféminées. Quelques jours plus tard, nous sûmes que nous devrions tous nous rendre en silence à la sacristie, et nous placer sans nous montrer derrière le maître-autel. Sur un signe du frère nous n'aurions qu'à répéter deux fois la formule apprise.

On avait invité deux missionnaires oblats de Marie-Immaculée, cette congrégation mariale exceptionnelle qui recueillait ceux qui n'avaient pas une tête de jésuite ou de dominicain. Mais ils prêchaient, ces gens-là, et pouvaient vous faire trembler toute une église ! Or, c'étaient eux qui devaient ramener la paroisse à de bons sentiments, en expurger les putains ! Ils n'y avaient pas manqué ! Ils organisèrent une méchante neuvaine qu'ils firent précéder d'une joyeuse procession à laquelle les dames de Sainte-Anne, les filles d'Isabelle et les Ligues du Sacré-Cœur, sans oublier les enfants de Marie, les chevaliers de Colomb et les membres de la Saint-Jean-Baptiste (les pieds sans doute), furent invités à défiler. On alluma des chandelles, on récita des rosaires et, ouvrant la procession, les deux illuminés, seau d'eau bénite d'une main, goupillon de l'autre, s'arrêtaient face à un présumé bordel et lançaient de l'eau bénite pour chasser le vice. Ils criaient à tue-tête, de leur voix évangélique : « Seigneur, chassez le mal de cette maison. » Et la foule répétait à l'unisson : « Bénissez cette pauvre femme. » On ne nommait personne pour ne pas manquer à la charité, mais tous savaient qui vivait là.

Le dernier jour de la neuvaine des femmes, parce que la discrimination des sexes était conforme aux usages de l'Église, nous nous sommes tous retrouvés derrière le maître-autel, comme on nous l'avait ordonné.

Je me rappelle, comme si je les entendais, les dernières paroles du prédicateur sur lesquelles nous devions nous manifester.

«Empêcher la famille, c'est détourner les voies du Seigneur. Un jour viendra où vous entendrez le cri de tous ces enfants qui demandaient à vivre. Leurs voix monteront des limbes et des enfers où vous les aurez étouffées. Mais… je les entends, Seigneur, je les entends !

— Nous voulons vivre ! Nous voulons vivre !

Nous n'avions jamais si bien hurlé. Et l'acoustique donna à nos voix une résonance d'outre-monde. Des mères de douze enfants se mirent à pleurer, d'autres se jetaient à genoux et suppliaient le ciel d'arrêter ce supplice. Je ne sus jamais, pour ma part, car je n'étais pas assez curieux ni même assez cynique, si neuf mois après les neuf jours de la neuvaine, l'Office national de la statistique avait enregistré une augmentation du taux de la natalité.

«Nous voulons vivre.» Je songe à ça, et à mon père qui me confiait, quand je fus d'âge à recevoir ses rares confidences : «Tu sais, dans mon temps, nous faisions l'amour par devoir, nous jouissions en coupables et nous faisions des enfants.»

L'angoisse de telles relations ! Dans quelle horreur les femmes pieuses ont dû tenir le sexuel, hantées par leur fécondité !

Nous, si nous voulions vivre, ce n'était pas au sens des missionnaires. Nous voulions vivre intrinsèquement, individuellement, intellectuellement, librement ; nous voulions vivre comme nous l'entendions, au gré de nos fantaisies, de nos curiosités, comme nous respirions. Nous étions enfants. Nous étions contre les contraintes, contre les ordres, contre les défenses, contre, contre, contre ! Nous étions contre ! Nous vivions contre. Nous préparions la révolte.

Hélas, nous tombâmes dans la pauvre révolte des clans. Les uns avaient opté pour l'aîné. D'autres jouaient les neutres. D'autres se rangeaient du côté des parents. Ça n'était pas démêlable.

Pour une raison insignifiante, parce qu'elle perdait le contrôle de ses nerfs, qu'une contrariété l'avait heurtée, qu'un malaise se faisait sentir au niveau des tripes, maman devenait hystérique.

Regardez-la. Elle se cabre. Elle hurle. Elle enlève un soulier, se met à boiter, infirme d'un talon haut, et court après Louis qui s'évade, les mains sur la tête pour se protéger d'une pluie de coups qui n'a pas commencé à tomber. Elle tient son soulier par la pointe, l'aiguille du talon prête à frapper le crâne innocent de mon frère, le monstre qui s'est permis une taquinerie envers l'un ou l'autre, sûrement une privilégiée, la plus jeune peut-être qui est détestable et agaçante, et qui ne sait jamais prendre les coups. Bon. Louis s'arrête. Il se braque devant l'autorité.

— Vous ne me toucherez plus !

— Tu oses parler sur ce ton à ta mère !

— Vous n'avez pas le droit de me battre !

— Je n'ai pas le droit ? Tu vas voir si je n'ai pas le droit.

Pan ! Un coup et puis d'autres.

Il y a une fin à tout. Les coups vont diminuer car son bras se fait de plus en plus lourd et son sein cancéreux, qui la taquine, va freiner sa vengeance. Elle va remettre son soulier, poser la main à plat, sous son bras contre son sein qu'elle tentera ainsi d'apaiser.

— Vous allez me faire mourir. Attendez que votre père arrive !... Va donc sarcler dans le jardin en attendant qu'il revienne. Ça lui fera plaisir. Vous savez comme votre père aime voir son jardin bien sarclé. Soyez gentils ; c'est tout oublié ! Viens, mon Louis, embrasse ta mère. Si vous êtes sages, j'aurai une surprise. Une belle surprise !

Nous voilà au bout du chemin qui mène à la maison et nous plantons des œillets de poète. Il y a Gaston, Louis, l'aîné et moi. Pour quelle raison, pour quel motif oublié la dispute éclata-t-elle entre Guy et Louis ? Chacun prend une pelle. Ils la soulèvent à bout de bras. Les yeux saignent de rage. La haine leur élargit la poitrine. Deux coqs. Rouges jusqu'aux cheveux. Gaston hurle : « Tue-le ! Vas-y, Guy, tue-le. » Haine ! Pourquoi ? Je me tiens à l'écart. Je crains le pire. Maman, attirée par les bruits de guerre, s'amène en courant, armée d'un tue-mouches. J'éclate de rire devant les deux fils levant la pelle et la mère brandissant son tue-mouches.

— Vous êtes fous ! Vous allez vous tuer !

Les pelles retombent. Maman se met à pleurer. Ma sœur Yvette, qui assistait de loin à la scène, tombe de nouveau sans connaissance.

Claire est forcée de jouer la garde-malade.

Je m'enfuis à travers bois, effleurant les pommiers, les pruniers ; longeant le ruisseau qui prend sa source sur notre terre et se jette dans le Saint-Maurice, à des centaines de pieds plus loin. J'arrive là où est mon refuge, cette touffe de cèdres, dans un étang de sable blanc. J'ai mon désert. J'assécherai mon chagrin, là même, une heure ou deux, tant qu'il faudra, et de là, prendrai mes distances par rapport aux autres. Je ne suis pas comme eux. Je le crie très fort. L'écho, témoin, le répète. À la barre, Jésus m'entend. Je ne suis pas comme eux. Je ne sais pas haïr. Je suis pacifiste. J'aime mes frères. J'aime tout le monde. Je veux que tout le monde m'aime. Je veux la paix, l'harmonie, la joie ; je veux que cette famille resplendisse en dedans comme en dehors.

Mes valises sont faites. Je pars, vite, vite. On me conduira dans la Chrysler pour que ça étonne les camarades moins fortunés, pour que l'étiquette d'enfant riche me soit collée au front.

J'ai mis mes culottes courtes. Je suis seul en culottes courtes. Je suis nain malgré moi avec des gringalets d'adolescents verreux dont la plupart ont la peau fleurie et suppurent. Ils sont tous laids comme des adolescents, mi-hommes mi-enfants, informes et bêtes, gauches. Deux ou trois têtes, comme des roses fraîches : des adolescents purs. Il n'y a pas d'enfants intelligents qui soient laids. Il y a tant de laideurs, trop. Je suis là, perdu, perdu. Je veux ma mère. Non. Je veux la sécurité. Je suis seul, entouré d'inconnus. On m'impose d'autres frères dont je ne veux pas. On m'impose des mères en robe noire dont je ne veux pas et qui dégagent des odeurs d'encens, de transpiration et de talc bon marché contre l'humidité des mains qu'il faut avoir sèches et fermes comme les hommes. Un dortoir où nous dormirons par dizaines, mêlant les haleines, les odeurs de pieds et d'autres que je décèlerai plus tard et pourrai nommer. Des draps empesés, des pyjamas si lourds qu'ils tiendraient debout tout seuls, des tremblements de lits secoués par l'agitation des mains coupables qui se livrent dans la pénombre des nuits collégiennes à des exercices de défrustration, non sans remords, sans regrets ni culpabilité. Des classes où les déclinaisons seront chantées, où jour après jour un certain savoir s'acquerra.

J'ai des boîtes de chocolats, des pots de beurre d'arachide, des pâtisseries, de la confiture de fraise à maman pour me consoler. Je ne veux pas être chez nous. Je ne veux pas être ici. Je ne sais pas où je veux être. Je suis mollusque. Je suis mercure, je coule, lourd, je me cherche, je cherche. Même Gaston, qui partage mon sort, n'est plus. Il cesse d'être mon frère et devient frère des autres. Il s'amalgame à cette masse impersonnelle dont on prétendra sortir des individus. Je mange quatre ans d'un seul coup. Je les endors dans je ne sais quoi. Je découvre des amis et les cultive, je les attache à mes sentiments, je les retiens possessivement et jalousement. Je les aime comme moi-même et plus encore. Où suis-je ? Que suis-je venu faire ici ? Est-ce la vie ? Maman ! Mon cri n'a réveillé personne sauf le surveillant qui s'est approché lentement de mon lit, en retenant le pan de

sa soutane pour que les froufrous ne soient pas enten-
dus. Une main passe à travers les barreaux du lit et se
pose sur ma tête. Des doigts fouillent mes cheveux.
Suis-je encore au berceau ? J'ouvre les yeux et
j'aperçois le sourire attendri et maternel de l'abbé
Jean. Ma main quitte mon oreiller et, malgré elle,
poussée par quelque ressort, s'agrippe à la sienne et
la serre désespérément : « Je vous en prie, aidez-moi,
j'ai besoin de vous. »

❏

Il pleut au réveil. Les prudes font de la gymnastique indécente pour parvenir à s'habiller sous leur
robe de chambre. Je ne suis plus là. Je suis ailleurs.
Je suis amoureux d'un homme.

Je suis né à l'amour dans les bras d'un abbé. Je
vous raconterai, mais auparavant, voyons ce que deviennent mes frères et sœurs.

Il y a le plus vieux, avec sa bonté et son caractère
intransigeant. Il est spécial, petit comme un mousse,
le regard prêt à envahir la vie. Il est, comme nous
tous, obsédé d'affection. Il a trouvé une fille. Nous
n'assisterons pas à ses noces, car maman craint que
nous lui fassions honte. Ma mère est devenue snob
depuis que mon père gagne plus d'argent et qu'il lui
a fait construire une immense maison où nous irons
durant les vacances seulement. Ils se marieront parce
qu'ils sont obligés, a dit le confesseur et directeur
spirituel du couple, parce qu'on ne peut pas laisser
des enfants dans un état continuel de commettre le

péché. Ils passaient des heures en voiture, à se tripo-
ter et à s'exciter. Ils se désiraient ardemment, ils con-
fondaient le désir et l'amour ; le sperme à la tête,
opaque toujours, voilà la vérité. Ils se sont mariés. La
veille des noces, Gaston a eu la fessée pour une révolte à lui seul. Les bâtons de caisse de beurre vide
ont cassé sur ses mains, il en a reçu un morceau sur
la lèvre et sa lèvre a enflé. Il a pleuré très longtemps.
Quand tout fut calme, nous sommes descendus dans
la chambre froide où le vin se trouve et nous nous
sommes soûlés. Moi, par sympathie pour lui, parce
que je ne pouvais pas le défendre contre ce qui lui arrivait ; lui, parce qu'il avait eu la fessée et qu'il détes-
tait la famille, le collège et tout le monde. Bref, Gaston a juré que c'était la dernière fois que papa le
battait, qu'il s'en irait la prochaine fois pour ne plus
revenir.

Les mariés ont eu une maison presque toute
meublée. Ils ont eu de belles noces. Elle, elle s'est
montrée très ingrate, disait-on. La vie c'est comme
ça. Merci.

Je suis le prisme, le subjectif numéro un et je
prends sur mes épaules les malheurs de toute la famille. C'est ma faute si l'aîné s'est marié, car si
j'avais été meilleur frère, plus tendre, plus présent, il
serait resté avec nous ; il n'aurait pas été chercher
dans les bras d'une inconnue ce que nous lui refu-
sions : « Mon père, je m'accuse d'avoir contribué au
départ de mon grand frère qui vient de se marier pour
fuir la famille parce qu'il y manquait d'affection, de
compréhension, de tendresse et que ces sentiments se

sont changés en passions et qu'il a été mis continuellement en état de péché. *Mea culpa. Mea culpa.* »

Il était formidable, mon frère ! Je le préférais aux autres, parce que généreux comme saint Paul, sociable et amoureux des gens. Il avait du courage, de la volonté, de l'orgueil, il savait ce qu'il voulait.

Yvette apparaît avec ses névroses, ses crises d'angoisse et ses peurs. Une douce, avec une sensibilité de libellule. Un dessin de mode, toujours bien mise, avec son chien Rusty en laisse, un *spanish setter* dont le poil était auburn comme ses cheveux à elle qu'elle coiffait admirablement bien. Elle lisait beaucoup. C'était une artiste jusque dans l'âme et c'était une grande âme qui souffrait. Elle me lisait des vers, empruntant la voix de la muse et nous partions «là-bas vivre ensemble, aimer à loisir…» C'était une fille de goût, comme il y a des filles de joie. Elle alla à l'École des beaux-arts exprimer sa sensibilité. D'autres la suivraient dans cette voie avec la même aisance et le même talent, trouvant là l'exutoire idéal, tant il est vrai qu'il n'y a que l'acte de créer pour échapper à soi-même, apaiser la maladie ou retarder la mort.

Claire, oh ! ma sœur Claire ! «La Balloune», disions-nous, parce qu'elle grossissait avec l'adolescence. Elle avait les seins d'une rondeur dangereuse, je dirais des entrailles, comme peu de gamines en avaient et qui faisaient l'envie des autres petites filles qui se touchaient, se regardaient pousser et se comparaient. Elle allait faire comme les autres, apprendre à ne pas croiser les bras pour ne pas se donner du plaisir. Mais combien vite elle allait apprendre à croiser les jambes d'une certaine manière, l'œil vague, avec un mouvement des muscles jusqu'à ce qu'un frisson l'emprisonne toute :

— Mademoiselle Claire, vous rêvez !

— Qui ? Moi ? Oh ! pardon, ma sœur.

Combien de fois par jour se livrait-elle à ces jeux, y cherchant le repos des nerfs, une consolation à sa solitude ? Elle était comme moi, sans doute, puisqu'on l'accusait des mêmes défauts. Je ne la voyais pas ainsi, même si je prêtais foi à ce qu'on disait d'elle ; qu'elle était de mœurs légères, qu'elle coucherait, comme une traînée, avec le premier venu. Si cela allait être, la pauvre, je l'aurais bénie, car elle avait tant besoin d'affection, de douceur !

Si mes sœurs étaient putains, nous serions, les garçons, leurs frères, tous des maquereaux, sauf ceux qui n'étaient pas en âge de l'être !

Comment a-t-on pu lui prêter des défauts qu'elle n'avait pas ? L'orgueil est un trait nécessaire ; il ne diminuait en rien sa générosité, sa joie, son grand cœur. Je crois que c'est elle qui a eu l'enfance la plus heureuse parce qu'elle était aimée de tous. J'en dirai tout le bien que j'en pense un jour et l'amour qu'elle m'inspire, dût-on croire, comme ici ou là, que mes sentiments en sont d'incestueux.

Salut, Gaston, mon beau, mon grand, mon frère !

Je te salue, mon complice et mon ami ! Nous sommes siamois. Rien ne se fait par l'un en l'absence de l'autre. Nous durons ainsi maintes et maintes années, jusqu'au moment du collège. Il va dans un sens, je vais dans l'autre. Il est plus fort, plus solide, plus viril, plus terre à terre, mais tout aussi vulnérable, avec la carapace plus épaisse. On s'en fiche pas mal de la carapace ou de la laque ! Voilà que nous serons des garçons laqués ; tant de chocs pour tant de couches de vernis, un peu de papier de verre, une autre couche, et c'est ainsi, jusqu'à l'âme !

Il n'a rien commis de particulier. Il ne faut retenir que sa longue stature, sa nonchalance, son sens de l'humour, sa vulgarité qui est absence de conformisme. Il stérilise tout ce qu'il touche. Il ne peut pas être père. C'est une impossibilité psychologique. Donc, il est l'homme qui entreprend et qui ne vit que dans l'euphorie de la construction. Dès qu'il atteint à un semblant de but, il s'ingénie à détruire. La destruction pour la destruction ? Non. Il se retourne contre lui-même. Il manque de confiance et il n'a guère de chance de se sauver. Il pouvait tout faire. Il n'a rien fait. Il a même raté la vocation dernière qu'il avait choisie, précisément celle d'être un raté. Et rater cela, c'est le comble !

Triste soit le saint nom de Louis. Il a été la bête noire, l'enfant à part. Il avait inventé le mensonge. Il en vivait. Un jour, il revint de l'église où il allait chaque matin servir la messe pour gagner de l'argent de poche, il revint, dis-je, le regard fou et lumineux.

— Maman, s'exclama-t-il en entrant, vous ne me croirez pas, mais la Sainte Vierge m'est apparue ce matin pendant que je servais la messe.

— Espèce de menteur ! Tu crois que la Vierge apparaît à des monstres de ton espèce ! Voyons, Louis, ne va jamais répéter cela.

— Mais, puisque je vous le dis !

— Espèce de menteur ! Tu n'as pas honte ?

— Je l'ai vue. Elle s'est approchée de moi !

— Elle t'a parlé, je suppose ?

— Non, elle s'est mise à pleurer.

— Louis, je t'interdis de raconter des histoires. La Sainte Vierge n'apparaît qu'aux enfants purs. À Fatima, je comprends, mais à toi ! C'est un diable et ça veut faire croire aux apparitions !

Mon frère soutient encore qu'il a vu la Vierge ; il ne veut pas admettre qu'il a pu être victime d'une illusion d'optique ou de quelque chose de ce genre. Il lui arrivait toujours des aventures curieuses, à celui-là ! D'abord il les inventait pour se créer un monde bien à lui, à l'abri de la famille et surtout de ma mère qui répétait sur tous les tons : « Cet enfant-là va me faire mourir ! »

Elle ne lui pardonnait rien. Elle l'exécrait. C'était un monstre. Il est vrai qu'à cinq mois, il beurrait son berceau de ses excréments, qu'à cinq ans, il volait le sucrier et qu'à dix ans, il faisait déjà les poches de son père. C'étaient des peccadilles ! Un enfant aussi peu aimé, aussi négligé et qui vivait dans la révolte, trouvait dans ces petits larcins des compensations énormes. Car s'il ne pouvait attirer l'attention par ses bons coups, qui n'étaient jamais appréciés, il l'attirait par de mauvais. Il était content alors et devait pleurer dans la joie car il vivait de ses mauvais coups. Il a fait ça des années. Il a été l'éternel coupable, au dos large, puni pour les autres. Quand il fut d'âge à raisonner, il se réfugia dans la religion, tâtant de quelques communautés, dont une plus stricte que les autres, car elle était cloîtrée. On lui dit, un matin, nous a-t-il raconté : « Frère Antoine — c'est le nom qu'il avait choisi par amour pour papa — ce jour, vous laverez nos W.-C. » Il entra dans une colère terrible. Il retira sa soutane, la laissa là, dans les toilettes, demanda qu'on lui remette ses vêtements civils, qu'on ne retrouva plus, mais on lui en prêta d'autres, plus humiliants, trop grands pour lui et troués. C'est ainsi qu'il fit sa réapparition à la maison. Maman le maudissait déjà. Encore là, il l'avait trahie. Il était entré en religion pour avoir droit à ses grâces, qu'elle lui refusait de toute façon, avec ou sans religion.

Le soir même, alors qu'il dormait pour la première fois depuis longtemps sous le toit familial et qu'il retrouvait la chaleur bienfaisante de son bon lit, il se sentit démesurément seul, me confia-t-il quand nous fûmes couchés. Soudain, il poussa une plainte dont le ton ne m'était pas familier et il perdit connaissance en tombant du lit. J'appelai papa et maman, qui se précipitèrent à son chevet. Guy et Yvette accoururent également, qui veillaient avec les parents, car ils bénéficiaient d'un régime de faveur. Yvette perdit connaissance lorsqu'elle aperçut le défroqué. Maman devint hystérique. Heureusement qu'Antoine resta calme. Il l'était toujours. Une bombe aurait pu tomber à deux pieds de lui qu'il n'aurait pas bronché. Tout au plus aurait-il dit : « Tiens, j'ai bien failli mourir ! »

Personne de mort ! On releva mon Louis, on le coucha, on lui appliqua une compresse d'eau froide

sur le front tandis que Guy s'occupait d'Yvette. Et
tout rentra dans l'ordre quand nos deux malades
s'endormirent. Les parents retournèrent au salon où
papa reprit la lecture de son journal et maman la mécanique ennuyeuse de son tricot.

Je m'étais assis sur la dernière marche de l'escalier, en proie à une vive inquiétude et à l'insomnie.

— Il va me faire mourir, celui-là ! Faudrait lui
trouver du travail le plus tôt possible.

— J'y penserai, répondit papa.

— Il ne faut pas y penser trop longtemps !

— Mais, il faut que j'y pense ! Où veux-tu que je
le place ? À qui veux-tu que je le recommande ? Il est
tellement instable ! Tu sais, je ne le trouve pas bien.

— Tu l'as toujours défendu, dit maman ; c'est
ton préféré.

— Je n'ai pas de préféré, tu le sais bien, trancha
papa. Je verrai demain.

J'entendis tourner une page du journal. Le cli-
quetis des aiguilles reprit, couvrant la musique de la
radio.

— Il est assez tard, Guy, dit ma mère.

Guy monta après avoir bu un verre de lait, non
sans souhaiter une bonne nuit à maman et à papa.

Lorsqu'il m'aperçut, assis en haut de l'escalier, il
s'empressa de poser un doigt sur sa bouche pour
m'éviter des représailles. Une fois près de moi, il me
glissa à l'oreille : « Couche dans mon lit, je leur expliquerai demain. »

Anne, ma sœur Anne, était jolie avec ses taches
de rousseur, sa queue de cheval, ses grosses lèvres

sensuelles et son regard volontaire ! Elle était plus garçon que fille et préférait le monde des hommes au monde des femmes. Elle avait bien raison. Elle fut la préférée de maman tant qu'elle fut la dernière-née. Peut-être aussi parce qu'elle était panier percé, et qu'à cet âge inconscient elle répétait tout ce qu'elle entendait, et racontait tout ce qu'elle voyait, sans penser plus loin que son petit nez retroussé. Hélas, ses bavardages nous retombaient généralement sur la tête, et nous étions punis ! Pis, on ne s'en méfiait jamais tant elle était présente avec nous et adorable. Qu'on était donc confiants ! Qu'importe !

Bon débarras pour tous. Gaston et moi nous devenions collégiens. Les filles couventines. La famille prendrait pour nous, sans nous, une nouvelle tangente.

Maman se réveillera avec une douleur au sein gauche et elle entrera dans une agonie qui durera longtemps, dévorée à petit feu par un vicieux cancer. Papa perdra son argent à la fin de la guerre et du marché noir. Il sera malade, cet été-là. On l'enverra en clinique soigner sa dépression. Surviendront d'autres drames qui m'atteindront encore.

— Bon voyage ! Soyez sages ! Faites-nous honneur. Vous nous écrirez, n'est-ce pas ? Nous irons vous voir. Étudiez bien. Profitez de la chance que vous avez de devenir des hommes.

Louis était parti pour les territoires de la Côte-Nord, où l'on extrayait le titane et le fer. C'est tout ce que mon père avait trouvé pour faire plaisir à maman.

Gaston vint avec moi. On s'assit sur la banquette arrière de la Chrysler. Comme de vrais parents, Yvette et Guy prirent place sur la banquette avant. Vrooomm! Rapide, agile et habile conducteur, ce cher Guy!

Adieu, mon enfance!

Attention, je vais hurler. J'ai mal. Je suis recroquevillé. Je me ratatine. Je diminue. Je ne suis plus rien, même pas zéro. Si. Suis zéro de conduite. Je roule avec ma culpabilité, mes inquiétudes, mon besoin fou de tendresse et d'amour. Je roule vers ma nouvelle naissance.

Je suis né le 6 septembre 1945, cette fois sous le signe de la Vierge. J'avais treize ans. J'aurais voulu en avoir cinq pour retrouver mon enfance, amusé par les soldats du manège militaire, sis face à la maison, rue Sainte-Geneviève.

Ce n'est pas le ronronnement du moteur de la voiture que j'entends, mais le baraboum, baraboum, baraboum-boumboum des tambours, les cornemuses, les « *Right, right! Left, right, left!* Attention! Halte! Compagnie! »

« Range tes souliers dans la garde-robe, mets ta cravate sur le support, fais pipi avant d'aller au lit, n'oublie pas de te laver les dents et de boire un verre d'eau. As-tu fait ta prière? Tu plieras ton pyjama! Marcel? Va secouer les tapis! Espèce de paresseux! »

Je veux avoir cinq ans. Je veux m'envoler dans les balançoires et monter très haut pour voir par-dessus la clôture, Madame Pâquerette, notre voisine, qui étend son linge au vent.

— Bonjour, mon prince !

— Bonjour, madame Pâquerette !

— Tu es bien gai, ce matin !

Un éclat de rire embellit le décor. La fanfare militaire quitte le manège. Je cours coller mon nez à la clôture. On fera un bazar, cet après-midi. Guy s'ingéniera à trouver des trucs amusants comme d'attacher une chaudière aux poutres du hangar et de nous asseoir dedans pour imiter les manèges.

— Les petits enfants, venez manger de la bonne bouillie, dit maman.

— Je vous présente mes frères, dit Guy. Voici Marcel et Gaston.

— Votre père n'est pas venu ? demande l'abbé.

— Je le remplace, dit Guy.

— Je suis l'abbé Jean. Marcel sera dans ma classe. Je le prendrai sous ma tutelle. Gaston ira avec l'abbé Chabanel.

Une main prend possession de mon épaule et m'entraîne vers la soutane.

On fait la visite du collège. L'abbé est charmant. Mièvre, soutient Gaston. On revient au parloir. On embrasse Yvette et on serre la main de Guy. Ils nous abandonnent là et nous nous regardons tristement.

— Tu ne vas pas pleurer comme une fille ? me dit Gaston, voyant disparaître la Chrysler.

Les quinze premiers jours ont été mortels. Un mois plus tard j'avais déjà dans ma poche les clés du théâtre car j'avais pris l'initiative de peindre les décors. Quant à l'abbé Jean, il trouvait que j'avais de l'imagination et m'invitait à écrire. Je rencontrai deux finissants, dont je devins le chouchou. L'un s'est fait moine, l'autre aussi, mais il s'est libéré plus tard, pour devenir bibliothécaire. Ils m'ouvraient des horizons, me conseillaient, m'adoptaient. Ils étaient tellement plus intéressants que les garçons de mon âge, sauf un, le Paul Mercier, qu'on avait baptisé crème en glace parce qu'il avait une plaie sur le coin de la lèvre qui ressemblait à une tache de crème glacée aux fraises quand il y mettait de l'onguent. Nous nous étions liés.

Je commençai à écrire en collaborant à la revue du collège. J'appris la flûte. Je m'inscrivis à l'atelier des Beaux-Arts. Trois mois après, mon avenir était dessiné. Je serais un artiste. Peintre, musicien ou écrivain ? Je l'ignorais. Le destin seul trancherait.

On commençait de m'aimer pour moi, de m'aimer pour m'aimer. C'était formidable, tellement bon, et l'abbé, plus que les autres, me prodiguait ses attentions. Pour ce qui était des études, rien ne m'intéressait vraiment. Comme j'avais une mémoire prodigieuse, je mémorisais à peu près tout ce qu'on m'enseignait et n'avais, pour réussir, qu'à faire le perroquet.

La vie avait donc ses bons moments ? Je pouvais donc être heureux ? C'était presque formidable, mais j'allais bientôt déchanter.

❏

C'était en décembre, j'allais servir la messe de l'abbé Gustave, comme j'en avais l'habitude. C'était un homme grand et mince, très élégant et d'une certaine nonchalance. Il avait été aumônier militaire durant plusieurs années et en était revenu marqué. Je ne le connaissais pas beaucoup et nous n'avions jamais eu l'occasion de converser car il s'intéressait peu à moi, ayant déjà son chouchou. De plus, il m'intimidait.

Sa messe étant dite, alors que je l'aidais à enlever ses vêtements sacerdotaux, il me prit dans ses bras, me souleva de terre, me coucha sur le petit autel retiré dans un coin sombre de la crypte, et m'embrassa à pleine bouche. Je faillis vomir. Je criai : « Non, non, s'il vous plaît, je ne veux pas ! » Rien n'y fit. Sourd il restait, tremblant, rouge comme une tomate et me fouillait des lèvres, le regard fumant. J'essayais de me débattre, mais il était plus fort que moi. Quand il se rendit compte qu'il me faisait mal, il se calma, me laissa redescendre de l'autel et, sans dire un seul mot, me regardant avec un sourire étrange et troublant, il continua seul d'enlever sa chasuble.

Je me précipitai hors de la crypte en courant comme un fou vers le réfectoire pour rejoindre les autres servants de messe à la table qui nous était réservée. Paul Mercier, le premier, devina qu'il s'était passé quelque chose. Je tremblais et ne savais à quel sentiment me livrer, scandalisé par cet acte ; me dissociant d'un seul coup de l'enseignement reçu, des notions de péché et de mal, de mon admiration des prêtres et, qui plus est, du respect sacré dans lequel je les avais tous tenus. Non ! Non, c'était impossible !

J'avais rêvé ! C'était mon imagination ! Je me versai une tasse de café, y trempai mes lèvres, mais tout se mit à tourner autour de moi. L'Univers entier.

J'ouvris les yeux à l'infirmerie. L'abbé Lafrenière était assis à mon côté. Il avait été médecin avant de venir à la prêtrise. Il était bon. Il dit : « Tu as la fièvre, repose-toi, tu as besoin de beaucoup de repos », et resta là, à prendre mon pouls. Je m'endormis, sans doute sous l'effet du somnifère ou du calmant qu'il m'avait donné.

Quinze jours d'infirmerie. On m'y choya. Tous les professeurs s'arrêtaient à ma chambre. Ils étaient gentils. L'abbé Jean vint tous les jours avec des livres et des revues. Seul l'abbé Gustave ne vint pas. L'abbé Lafrenière me raconta que j'avais beaucoup déliré, mais ne précisa pas. Les attentions que tous me prodiguaient n'adoucissaient pas pour autant la crise que je traversais et je n'osais pas raconter ce qui m'était arrivé. Je gardai ça pour moi, jusqu'à ma sortie de l'infirmerie. Le premier informé fut Mercier. Il refusa de me croire et porta au crédit de ma fièvre ce que je lui racontai. Néanmoins, il jura de garder le secret. L'abbé Jean ne me crut pas davantage. Il m'invita à oublier ce rêve, et, comme par hasard, me fit un long exposé sur le célibat des prêtres, me démontra qu'ils étaient humains, comme tout le monde. Et cette histoire en resta là. Seul, je savais qu'il y avait une profonde plaie à l'intérieur qui ne voulait pas se cicatriser et que, par elle, beaucoup de choses avaient pris la fuite. Je me remis au théâtre, au journal, un peu à mes études. On me considérait comme un enfant fragile, et combien vulnérable. On parlait de ma sensibilité à voix basse comme d'une maladie honteuse.

Avec combien de précautions et de malaises je retournai voir Dieu ! Je ne pris pas la peine de lui raconter ce qu'il savait déjà, puisqu'il savait tout. On a essayé de se comprendre. J'ai attendu ses explications. Il ne m'en a pas donné. Je lui ai dit adieu. Nous sommes restés sur ce premier malentendu, toujours pleins de respect l'un pour l'autre, mais lui seul savait ce que me réservaient les mois à venir et qu'on allait définitivement se séparer. C'est peut-être pour ça qu'il ne s'était pas donné la peine de me répondre. Froid qu'il était devenu, presque inexistant. Au fait, avait-il seulement existé ? Si les événements précédents étaient le fruit de mon imagination, peut-être l'était-il lui aussi ? Dieu impuissant, Dieu de duperies. Je ne rêvais pas, nom d'un chien, on avait violé mon âme !

Oser me dire que je l'avais provoqué ! Moi ? Provoquer un prêtre ? Quand l'abbé Jean a fait cette insinuation, j'ai failli tomber à la renverse : « Tu sais, avec tes culottes courtes, tes jambes de fille, ton visage de gamine, tes mains délicates, ta façon d'approcher les gens et de les toucher. Enfin, n'entrons pas dans les détails. »

Je me suis empressé d'écrire à la maison et de demander qu'on m'envoie des pantalons d'homme, que j'en avais assez de m'habiller comme un gamin.

Revoyez, après cela, les méandres des premiers jours du collège ! L'abbé Jean qui pose des questions comme tous les prêtres qui s'arrogent le droit de tout connaître, de tout savoir, de commettre toutes les indiscrétions sous prétexte qu'ils sont confesseurs.

Ils vous prennent par les épaules, vous collent et se collent à vous : « Vous vous plairez, mon enfant. Ce sera agréable. Regardez-moi dans les yeux. Vous avez le regard franc. Voyez, moi, j'étais au collège à treize ans. Je me porte bien, n'est-ce pas ? J'ai même épousé la vocation sacerdotale ! Vous vous adapterez, vous verrez, je vous aiderai, ce sera facile à deux. Si ça n'allait pas, venez me voir, vous me ferez confiance, nous serons des amis, je remplacerai l'atmosphère familiale dont vous pourriez manquer. »

Il avait posé sa main sur ma tête. J'avais rougi. Mais comme je le trouvais sympathique, avec sa démarche noble, sa dignité et l'aristocratie du geste quand il tenait un pan de sa soutane pour gravir les escaliers, conscient du rôle qu'il jouait dans ce bas monde, en ne faisant pas de bruit ! Ses semelles étaient en caoutchouc crêpé. C'est drôle, n'est-ce pas ?

Rappelez-vous : des « bon Dieu » par-ci et par-là, des prières à toutes les heures du jour, la messe du matin, l'Angelus, les vêpres, le mois de Marie et celui du Rosaire, la neuvaine à saint Joseph, et quoi encore ! Et ces cours infinis sur l'histoire de l'Église !

Malgré tout, j'appris à m'adapter, puisque c'est le propre de l'homme. Je devins cobaye. C'était mon rôle. Je vivais en laboratoire, du moins dans ces laboratoires que sont les collèges où se gaspillent tant de personnalités.

Je suivais les autres. C'est le propre des nouveaux de suivre les autres et de ne pas être une exception. Les exceptions recèlent des odeurs et des surnoms qu'il vaut mieux taire.

À marcher au son de la cloche, les jours passent de toute manière en laissant derrière eux un abrutissant sillon. Pour une année, pour d'autres à venir même routine, mêmes jeux, mêmes amis, même mécanique vivante accordée aux sons des cloches. C'est ainsi que j'appris à goûter et à jouir des sentiments nouveaux, dont la chaleur de la main de l'abbé Jean, quand elle se posait sur ma tête, ses étreintes discrètes et camouflées sous tous les prétextes, et combien de gestes voulus expressément gauches. Je ne vivais que pour lui et recherchais continuellement sa présence. Il devint ma sécurité. Les jours de congé, à la moindre occasion, aux récréations, je trouvais moyen d'aller à sa chambre, après avoir pris toutes les précautions pour ne pas attirer l'attention des autres élèves ou des autres prêtres. Alors, heureux, j'entrais. Je m'asseyais près de cet ami, posais ma tête sur ses genoux, le laissais jouer dans mes cheveux. Il me parlait de tout. Le temps n'existait plus que pour filer, tissant des liens, des tendons, une sorte d'amitié troublante et morbide.

La cloche encore venait nous séparer. Nous nous laissions, je lui jurais de revenir à la prochaine récréation et murmurais, entre mes lèvres naïves, un mielleux au revoir que l'abbé dégustait, sans jamais tenter, même un seul instant, de me laisser voir que nous étions ridicules.

Non seulement il était titulaire de ma classe, mon confesseur et directeur spirituel, il était également pion de dortoir. Je le revois, assis à la tribune, regarder entrer les élèves. Je marchais, laissant errer mes mains sur chaque pied de lit, dans l'attente de son regard. Je me déshabillais sous ses yeux qu'il masquait de temps en temps par son bréviaire. Je me lavais devant lui. Il me regardait me glisser sous les couvertures. Puis, ayant croisé mes mains sous ma tête, je le fixais jusqu'à ce qu'il aille éteindre après une dernière prière.

La chute de l'obscurité s'accompagnait du froissement des pages des livres que des affamés rongeaient jusqu'à la dernière seconde de lumière. Les couvertures tourbillonnaient toutes, s'enroulaient autour des corps qui se livraient au sommeil. On entendait les ressorts des sommiers. Quelques minutes plus tard, l'inconscience collective, les ronflements, les respirations multiples et, par-dessus tout cela, le craquement des vieilles planches sous les pas de l'abbé qui arpentait les allées. Goutte à goutte, l'eau d'un robinet mal fermé scandait de son rythme énervant la pureté de ce sanctuaire de dormeurs.

Je ne m'endormais jamais tout de suite, et m'amusais à reconnaître la position de l'abbé à son pas et au bruissement de sa soutane. Dès que je le sentais approcher, je tendais impatiemment les mains hors de la tête du lit. Il les étreignait discrètement en passant et prenant toutes les précautions pour cacher de son ombre le possible regard d'un possible témoin. Et je m'endormais, rassuré, comblé d'une caresse aussi naïve, dont je ne pouvais pas m'abstenir. Il était ma mère, ma famille, tout, connaissait mes secrets les plus intimes, mes pensées les plus profondes.

Je lui avouais bêtement : « Je ne suis plus le même depuis que je vous connais, vous rendez-vous compte de tout ce que vous m'avez appris ? » Il souriait d'une fierté où se mêlait le plus humble des orgueils.

Que m'avait-il appris ? Soyons honnêtes, l'amour de la musique, de Mozart en particulier ; comment reconnaître une toile, une technique, le talent d'un peintre, sinon l'absence de talent ; comment bien lire un livre et quels étaient les bons auteurs, ceux qui m'étaient accessibles. On pouvait aller jusqu'à Bernanos ! Si un autre professeur sourcillait à la vue d'un de mes livres, je brandissais l'*imprimatur* de mon directeur spirituel. Oh ! Au-to-ri-sa-tion !

Une année s'est écoulée, couvée dans cette étrange chaleur. Pourtant je couvais autre chose d'inavouable et des relents d'enfance, une adolescence pénible, un âge fou d'incertitudes. J'étais mauvais équilibriste, ne sachant quoi tenir comme perche, pour ne pas perdre pied. Car les paradoxes commencent avec l'adolescence. C'est l'âge de la césure entre l'hier et le demain, l'hier comptant à son crédit tout ce que la pellicule a enregistré selon sa sensibilité, l'intensité de la lumière et l'ouverture de la lentille. Demain, la projection, le montage, le tri. Ou la surimpression.

Et ce temps de fièvre vint où l'on arracha les pages des calendriers, rayant les jours, comptant les

heures qui nous restaient avant l'approche des vacances.

Revenir à la maison ? Retrouver les mêmes habitudes qu'avant et la même atmosphère familiale ?
« Ça ne sera pas comme avant », nous disions-nous,
Gaston et moi. Nous avions changé. Eux aussi, ils
avaient sûrement changé.

Tout était comme avant. Nul autre changement
que la faillite de papa, la saisie de ses propriétés, le
déménagement en perspective et l'annonce que nous
allions tous entrer dans une période creuse. Je m'em-
pressai d'écrire à l'abbé Jean, comme je le lui avais
promis.

L'atmosphère familiale était au pire. Les ten-
sions continuelles. Papa était très angoissé, inquiet
pour nous, pour lui, car c'était un homme d'une res-
ponsabilité maladive et d'une honnêteté à toute
épreuve. Il avait mal, il souffrait, il ne comprenait
plus, dépassé par les événements. Il fallut hospitali-
ser maman pour l'ablation de son sein cancéreux.
Gaston ne voulait plus retourner au collège, il faisait
des fugues de plus en plus fréquentes et ne rêvait
plus que de la marine. Claire était en conflit avec les
bonnes sœurs de l'hôpital où elle poursuivait ses
cours. Guy semblait malheureux, et sa femme paraissait à bout de nerfs, insatisfaite. De plus, elle n'aimait pas sa belle-famille. Anne vieillissait péniblement. Louis donnait peu de nouvelles. Personne
n'était en forme.

L'abbé Jean seul me réconfortait par ses lettres.
Des lettres toutes semblables, où il me disait d'être

sage, pur, obéissant, et qu'il terminait invariablement par un «Je t'aime bien affectueusement» en les signant du nom de père. Je lui répondais que j'avais hâte de le revoir, mais je lui cachais les questions multiples que je me posais, les doutes qui m'envahissaient, face à l'exemple de la vie qui s'agitait autour de moi. De quoi tout cela retournait-il? Qu'est-ce qui était essentiel? Pourquoi devions-nous vivre? Et patati et patata.

C'est faux, je suis malhonnête. Je ne voulais pas en parler, mais il le faut. Mes lettres n'étaient pas comme ça. Voici pourquoi.

Deux mois avant les vacances, un dimanche après-midi, alors que je n'avais pas droit à la visite familiale, l'abbé Jean vint me chercher pour aller faire une promenade derrière le collège, où il y avait un sentier qui conduisait à la rivière. Ça sentait le printemps et ça fondait lentement dans le sous-bois, là où le soleil n'arrivait pas à pénétrer. Le soleil était prenant, le vent frais encore, qui jouait dans les branches.

— On est bien, dit l'abbé, en me prenant la main. Tu sais pourquoi je t'ai emmené?

— Vous avez de mauvaises nouvelles à m'apprendre?

— Ce n'est pas ça.

Il resta un instant silencieux, releva une branche qui obstruait le chemin et la tint, le temps de me laisser passer.

— Je t'aime bien, tu sais, comme mon propre fils.

— Moi aussi, répliquai-je, spontanément.

— Tu sais que tu deviens un homme?

— Probablement, répondis-je, en riant, j'ai encore tout le temps !

— Bientôt. Tu sais, à quatorze ans, on n'est plus un enfant, on change. Le corps se développe. Tu éprouveras des démangeaisons. Tu vas te transformer. Ton corps va couler.

Il avait dit ça d'un seul trait, presque tout bas, rougissant comme une jeune fille et songeant sans doute à sa propre adolescence. Peut-être que personne ne l'avait renseigné, qu'il avait tout découvert seul ou dans des circonstances particulières si pénibles qu'il voulait m'éviter les mêmes.

D'un geste de la main à son front, il sembla chasser des souvenirs et continua en regardant dans le vague :

— Le poil, la barbe, les muscles. Et puis, il y aura les filles qui viendront, qui te feront des propositions. Tu n'as jamais touché à une fille, j'espère ?

Il y allait de détails, de dangers, de défenses. Son langage devenait de plus en plus inintelligible, nullement à ma portée, et se perdait à travers bois, cherchant un impossible écho qui n'aurait rejoint personne. J'étais vraiment mal à l'aise. J'avais envie de lui fausser compagnie, de courir. Mais une de ses phrases avait pris une importance majeure. Elle retentissait dans ma tête avec une stupidité affolante :

— Vous avez bien dit que mon corps allait couler ?

Il fit signe de la tête et il leva gauchement un doigt pour expliquer. Comme je haussais les épaules, il s'arrêta, s'accroupit par terre, en relevant sa soutane

qui le gênait, et il prit une branche pour tracer des
dessins qui ne cessèrent de m'étonner.

— Si tu voulais me montrer, dit-il, je t'expliquerais plus aisément.

Je me reculai. Un tas d'images me revenaient à
la mémoire. Mon frère, complice de mes premières
découvertes, était là devant moi. L'abbé Gustave me
tenait dans ses bras. Devant l'allure que je devais
avoir et qui n'était pas très rassurante, l'abbé Jean se
mit à s'excuser :

— J'aurais dû attendre. Tu es vraiment trop jeune
pour ton âge. Ne fais pas cette tête ! Oublie tout ça.
Comme si je n'avais rien dit, hein ? Tu promets ? Chaque chose en son temps. Si tu as des questions à poser,
tu me les poseras ? Allons, il faut rentrer maintenant.

On entendit la cloche qui annonçait le salut au
saint sacrement. Nous nous engageâmes sur le chemin du retour. Il avait passé son bras autour de mes
épaules. De temps en temps, rompant le silence, il
susurrait :

— Si tu savais comme je t'aime.

J'étais secoué. Le mal était fait. Au lieu de
m'instruire, il m'avait troublé.

Ce soir-là, au dortoir, je ne lui prêtai pas mes
mains. Inquiet, il s'approcha doucement et, inclinant
la tête, me demanda :

— Tu ne dors pas ? Prie, mon petit, et croise tes
bras dessus les couvertures.

J'étais triste et me sentais perdu.

Quand je me réveillai, il était bien trois heures de
la nuit. J'avais rêvé que j'étais un oiseau, que l'abbé

Jean essayait de m'attraper au filet. Il ventait très fort et sa soutane remontait sur sa tête.

« Je ne te ferai pas de mal ! criait-il. J'ai une bien belle cage. Je te donnerai de l'eau et des grains de blé ».

Une femme apparut alors. Elle était à cheval et sa bête galopait frénétiquement. Cette femme ressemblait étrangement à ma mère, mais plus belle et plus jeune. Elle tenait un tue-mouches dans sa main et menaçait l'abbé en hurlant : « Je le dirai, je le dirai à tout le monde que vous m'avez volé un enfant ! » Alors, d'un geste rapide, comme fou, indifférent à la femme qui le haranguait, l'abbé m'attrapa au vol, m'écrasa entre ses mains et j'eus comme l'impression de me liquéfier.

Je me retournai sur le dos, je restai là complètement figé, je regardai l'heure, me sentis mal à l'aise dans mon lit car mon pyjama et mes draps étaient mouillés. Une larme glissa lentement sur ma joue.

Je ne racontai jamais ce rêve. Je n'avouai jamais que mon corps avait coulé et que je m'appliquais tous les jours à ce qu'il coule. Bien plus, à partir de cette nuit-là, je ne me confessai plus jamais et je continuai quand même, pour sauver les apparences, d'aller à la messe, mais sans communier.

Quant à l'abbé, nous étions restés bons amis, sauf que je me sentais mal à l'aise quand il me prenait sur ses genoux ou m'approchait avec insistance, car je me doutais qu'il pouvait y prendre un plaisir défendu.

Après nos échanges de lettres, il vint donc, durant les vacances. Il causa très longuement avec mes parents et il fut convenu, à cause de la situation financière de papa, qu'il serait mon tuteur, qu'il prendrait à sa charge les frais de mes études. Il eut donc tous les droits, en commençant par celui de m'habiller selon son goût, de m'inscrire dans un autre collège, de choisir ma vocation. J'étais entre ses mains. Chose fort heureuse, car toute l'agressivité ou la révolte que, normalement, j'aurais dû ressentir contre mon père à l'âge où les enfants se révoltent s'est retournée contre lui.

Avant de vous en scandaliser ou de crier à l'ingratitude, accordez-moi, un petit instant, un préjugé favorable.

Je fus docile, conciliant, obéissant, gentil — et quoi encore ! Il ne pouvait pas avoir fils plus facile, mais ce fils voulait être par lui-même, non par un autre. J'avais besoin d'espace, d'individualité. Il était pire que ma mère, plus possessif, plus jaloux et plus inquiet qu'elle. Je me révoltai, mais je lui restais lié. Non, je ne l'aimais plus, mais lui étais attaché. Il était ma sécurité. Je me voyais penser, raisonner, juger, critiquer, analyser, tout faire comme lui. Lui. Toujours lui ! Je devenais son double. Et moi ? Qui étais-je ?

Des mois ont ainsi passé. L'étau s'est resserré lentement, jusqu'au soir où j'eus droit à son hospitalité à l'archevêché du diocèse où il avait ses quartiers ; il m'invitait à partager sa couche. L'oignon avait été bien mariné, on n'avait plus qu'à le manger. Crounch, sous la dent !

Ce soir-là, il me laissa donc seul pour que je me sente plus à l'aise. J'écrasai ma cigarette, et me glissai sous les couvertures. À peine venais-je d'éteindre la veilleuse qu'il revint et se déshabilla dans la pénombre. J'avais chaud. Il ne fit pas de bruit et se coucha.

Imaginez qu'il entre sous les draps. Je feins de dormir. Il s'approche. Un bras passe autour de mon cou. Il y a une énorme différence entre ce geste fait quand on est habillé et debout et quand on est nu et couché ! Je suis mal à l'aise. Peut-être que je tremble car il me demande si j'ai froid. Il m'enveloppe dans ses bras. Son visage se rapproche. Son haleine est irrespirable et ses lèvres sur les miennes sont délicatement posées, puis plus intensément, et sa langue folle fouille. Me débattre, me refuser ? Mais non ! Je m'abandonne comme un pantin, car tout ce qui passe par ma tête, toutes mes objections, mes défenses, mes répugnances, ne sont que velléitaires.

C'était donc ça, son amitié, sa tendresse, sa compréhension, sa générosité ? C'était donc ça, l'aboutissement de ces dernières années ?

J'ai souvenir du lendemain matin où je ne connus pas de pire écœurement que de le voir consacrer le pain et le vin, communier et m'offrir d'en faire autant.

Une fois, et deux, et trois, et quatre encore, appréhendant la scène, chaque fois que je mettais les pieds dans sa chambre. Il devait sûrement se défendre lui-même. Il était victime, sans doute, tout autant que moi. J'acceptais chaque fois de me plier à ses exigences, chaque fois vacillant entre le refus et l'acceptation.

C'est dégueulasse ! On ne devrait pas avoir à raconter des histoires comme celle-là. Mais il le faut bien sinon vous ne pourriez pas me comprendre, et j'aimerais bien. Surtout, je vous en prie, ne me jugez pas là-dessus, j'ai trop de modestie pour raconter mes bons coups ou mes bonnes actions. Ils sont entre les lignes, n'est-ce pas ? Sachez, cependant, que j'optai, les jours qui suivirent, pour l'indifférence totale. Je cessai de le voir, de lui téléphoner, de lui écrire.

Il arriva au collège comme un fou, quelques jours plus tard, sans doute affolé par ses propres remords ou l'idée de m'avoir perdu. J'eus droit à une sortie exceptionnelle ; je me suis retrouvé seul avec lui, qui eut vite fait de me reprendre. Faible et démuni, je m'abandonnai, lui promis de lui écrire, de me convertir, comme il disait, car il savait, pour me faire surveiller par ses collègues, que j'étais tombé dans l'indifférence religieuse. Mieux, il voulait que ce soit lui qui me confesse, car, insistait-il, il y avait des choses que je n'avais pas besoin de lui confesser. Nul être ne m'a autant désespéré que lui.

Alors, sans crier gare, je quittai le collège. On ne m'y revit jamais. Sans doute inscrivirent-ils, en dernière page de mon dossier et en caractères indélébiles, un mot sur lequel, désormais, allait se concentrer ma vie : « Évadé ! »

Je m'évadais de moi-même.

❏

Dans la voiture qui m'amenait chez moi, j'ai eu tout le temps de penser, mais je n'arrivais pas à trouver comment j'expliquerais mon départ du collège à mes parents. Je voyais ma mère hystérique se révolter, me traiter de sans-cœur et d'ingrat. Elle dirait sa déception, car elle croyait que je deviendrais prêtre. Famille maudite ! « Qu'est-ce que j'ai fait au bon Dieu ! crierait-elle en suppliant mon père de faire quelque chose. Pas un curé, pas une religieuse dans la famille ! Et pourtant, j'ai tout essayé ! »

Si seulement elle avait su comme nous étions tous dégoûtés des curés, de la religion et de ses symboles. Elle me remettrait mon crucifix de premier communiant que je le jetterais, en passant, dans la première poubelle qui se présenterait. Qu'en faire d'autre ? Finies, les idoles ! N'aurai plus qu'à trouver une valeur de remplacement, fût-ce les hommes. Vive l'homme ! Dieu est mort ! Vive l'homme !

Maman dira ce qu'elle voudra. Papa dira ce qu'il voudra et toute la famille si ça leur chante. Moi, je m'inscrirai aux Beaux-Arts.

Lorsque je mis les pieds dans la maison, il n'y eut aucune surprise ! On m'accueillit froidement, on m'invita à m'asseoir à table pour le dîner. Ma sœur Yvette était avec un homme qu'elle allait épouser dans les jours à venir. Elle fut très gentille, très présente. Elle me parut calme, heureuse, et sa délicatesse naturelle eut toutes les aises de se manifester, d'autant plus que maman était froide comme un réfrigérateur et que papa semblait dépassé.

— On a reçu une lettre de l'abbé Jean, dit maman.

Je me suis mis à rougir, essayant d'imaginer quel genre de lettre il avait pu écrire et craignant qu'il ait tout raconté à sa façon en se donnant le beau rôle.

Elle m'invita à prendre la lettre qui était sur le buffet. Je l'ouvris lentement après qu'Antoine m'eut fait signe, et en commençai la lecture.

Ce n'étaient que basses calomnies. Il ne disait rien des raisons pour lesquelles je lui avais faussé compagnie, s'indignait de mon ingratitude, me reprochait mers et monde, d'avoir semé la pagaille autour de moi, d'avoir ridiculisé ma famille aux yeux des Mercier, de leur avoir parlé de ma mère comme d'un vautour, et quoi encore ! Que j'étais vicieux, menteur, hypocrite et sournois ! Je pliai la lettre calmement et, sûr de moi, je demandai :

— Vous croyez ça ?

— Un prêtre, Marcel ! Comment oses-tu mettre en doute les paroles d'un prêtre ?

Ça ne valait pas la peine de répondre ! Je me suis tu. Les questions ne cessèrent de fuser : «Qu'est-ce que tu vas faire dans la vie ? Tu ne vas pas passer ta vie aux crochets de ton père ? Tu veux me faire mourir ?» Suivit la chanson continuelle des accusations.

Je coupai court à ce procès en déclarant à papa que j'avais quelque chose à lui confier, quelque chose de personnel et de confidentiel, que je ne pouvais dire qu'à lui.

Maman se scandalisa encore une fois : «Tu vois, c'est comme disait l'abbé, un sournois ! Il n'a confiance en personne. Antoine, tu ferais mieux de te méfier de lui et de ce qu'il va te raconter.»

Nous sommes allés au salon tous les deux. Nous avons fumé comme des cheminées. J'ai toujours aimé mon père. C'est le premier être que j'ai appris à accepter avec ses défauts, ses faiblesses. Je crois que je l'ai toujours profondément compris sans qu'il ait eu à s'expliquer. Plus encore, j'ai toujours eu l'impression d'être un peu semblable à lui, quoique avec d'autres qualités que les siennes et d'autres défauts que les siens.

Il m'a écouté sans poser de questions et sans paraître étonné, à peine attristé par ma confession, la première que je lui faisais d'ailleurs, et qui fut la dernière. Je lui fis part de mes projets. Il les rejeta parce qu'il n'avait pas d'argent, que mes frères ne lui étaient d'aucun secours, et quoi encore. Il fit appel à mes bons sentiments : « Si tu veux m'aider quelque temps à joindre les deux bouts. Tu sais, ta mère est gravement malade, les soins médicaux coûtent excessivement cher. Et j'ai d'autres charges de famille. Tu comprends ? »

Je lui promis une réponse pour le lendemain, après avoir réfléchi. Ma réponse était déjà toute trouvée. J'allais dire oui, car dès qu'il eut la franchise de me mettre au courant de sa situation, je vis chevalet, terre glaise, pinceaux et autres outils tournoyer dans le vide. Il ne fit pas de chantage, oh non ! mais il promit, si j'acceptais, qu'il ferait tout pour atténuer aux yeux de maman ma fuite du collège.

L'atmosphère resta tendue. Mon oui du lendemain ne changea pas grand-chose. J'attendis nerveusement qu'il me trouvât un travail, comme il l'avait promis. Quel travail ? Que pouvais-je faire, avec des études classiques avortées ?

Entre-temps, on maria Yvette. Seuls furent invités à la noce les beaux-parents, les frères et sœurs, pour ne pas montrer aux gens, qui nous avaient connus à l'aise, dans quel état nous étions tombés.

— Pensez, disait maman, après les noces de Guy qui a tout eu, de quoi nous aurions l'air aux yeux de la parenté !

Yvette en avait eu mal, un peu.

Pour gagner quelques sous et éviter la maison, je me suis fait gardien d'enfants. C'était l'enfer. Claire était exténuée par son travail d'infirmière et par la disgrâce dans laquelle maman la tenait. Claire souffrait, Claire était malheureuse, mais plus équilibrée, plus ouverte d'esprit, car elle vivait avec des gardes-malades, des médecins, des internes et était en contact avec des patients ; elle trouvait des consolations dans les bras de qui voulait bien les lui tendre. Ce fut formidable pour elle, en un sens, mais triste dans un autre.

Gaston était dans la marine, loin de nous. Il envoyait quelquefois, par accident, un peu de son salaire, mais si rarement que papa ne pouvait pas compter sur lui. Quant à Louis, il devenait citoyen de la Côte-Nord, il montait en grade, il allait se marier lui aussi. Et comme il vivait très loin, on ne savait de lui que ce qu'il voulait bien nous dire dans ses lettres. Il mentait comme toujours, disait maman. Il était la personnification même du mensonge.

Au moins, il respirait, celui-là, dans un autre milieu, avec des amis, un travail, une nouvelle existence qui, pour une fois, était vraiment la sienne. Dommage qu'on n'ait jamais reconnu ses grandes qualités ! Il était d'une générosité extraordinaire. Il n'avait rien à lui. Il donnait tout pour être un peu accepté et aimé. Sans succès. Son adolescence a été d'une tristesse à pleurer.

Guy adoptait sa femme. Ils allaient former un couple et avoir beaucoup d'enfants. Ça allait marcher, avec des compromis — dont celui de renoncer à ses frères et à ses sœurs parce que Madame ne les aimait pas. Chez nous, c'est le frère que nous aimions le plus.

Anne devint ma complice, presque ma maîtresse. Nous ne pouvions pas être vraiment incestueux avec l'éducation puritaine et culpabilisante que nous avions reçue. On sait quel nid de promiscuité est la famille quand ses membres vivent en vase clos.

J'ai découvert son corps par accident, un soir où nous étions seuls à la maison et qu'elle sortait de la salle de bains vêtue d'un petit pyjama de soie qui flottait autour d'elle. Parce qu'elle était gamine et qu'elle aimait jouer, elle avait commencé par me refuser l'accès à la salle de bains. Nous nous étions mis à lutter, lorsque la sensation de ses jeunes seins, de sa peau fraîchement lavée me troubla. Au lieu de me ressaisir et de cesser ces jeux, je me laissai entraîner à la découverte de sensations autres que celles que m'avait fait connaître monsieur l'abbé.

Lequel a été le premier conscient ? Le sommes-nous devenus ensemble quand nos mains se sont liées, que nous nous sommes approchés l'un contre l'autre pour simuler les rythmes de l'amour, sans nous caresser pourtant ? Anne avait levé les paupières, comme effrayée, avait braqué ses yeux droit dans les miens. Je suis sûr d'avoir compris en même temps qu'elle que nous commencions de glisser sur une pente dangereuse, que cette première fois en entraînerait d'autres. Ce dont je fus le plus certain, c'est que, cette fois, elle serait discrète et ne parlerait jamais de ce qui s'était produit entre nous. Chaque occasion était savamment saisie ; nous avions trouvé une technique efficace de simuler l'amour et si, par hasard, quelqu'un devait nous surprendre, comme ce fut le cas, avec quelle aisance et quel sens de la comédie elle savait s'en tirer, feignant la lutte, pour rire et crier : « Ah ! si tu penses que tu vas m'avoir ! Je suis plus forte que toi ! » Il suffisait qu'une de mes sœurs dise : « Vas-y, Anne, couche-le ! » ou qu'un frère déclare : « Allons, tu ne vas pas te laisser battre par une fille ! » Et, si c'était papa, il se contentait de sourire en disant : « Assez, les enfants ! »

Par chance, maman n'eut jamais à nous surprendre. Au fond nous étions tous les deux affreusement troublés, rongés par les remords quoique toujours prêts à recommencer. Formidables sont les remords, car il n'est rien de mieux pour aiguiser l'appétit puisque aux remords succèdent les souvenirs ! Comment songer à ses fautes sans les revivre ? Revivre devient recommencement. Un Polaroïd ne pourrait pas mieux faire, ou mieux fixer toutes les évocations possibles et imaginables. Puis Anne refusa subitement de jouer le jeu. Je n'insistai pas. Elle devait avoir ses raisons ou, sans que je le sache, s'être liée à un garçon avec lequel elle pouvait aller plus loin.

De retour à la maison, je devenais de nouveau le bouc émissaire. Sur moi retombaient les rancœurs, l'agressivité et la nervosité de maman. Pas moins menteur, pas moins vicieux pour cela. Impossible de marcher dans la maison ; impossible de fumer sans qu'elle compte mes cigarettes ; impossible de m'enfermer dans ma chambre sans qu'elle suppose que je me livre à mes vices ; impossible de lire sans qu'elle s'y oppose ; encore moins possible de sortir sans passer pour un courailleux... Elle ne savait pas se faire aimer ! Ce n'était pas sa faute, puisqu'elle était malade, mais je la détestais, comme si elle l'eût souhaité pour des raisons connues d'elle seule ou subconscientes. Je la sentais tout de même mourir à feu lent.

Papa me trouva un emploi dans une banque, mais, auparavant, je devais rencontrer le gérant, me soumettre à un examen médical et à je ne sais plus quoi. L'entrevue fut sympathique. Deux jours plus tard, j'appris que je n'avais pas la santé pour travailler dans une banque et le gérant s'offrit à Antoine pour me placer au grand air dans un endroit sûr et sain.

D'artiste que je voulais être, je devins commis dans les chantiers du Grand Nord.

J'acceptai ça stoïquement, mais devinez à quoi j'ai pensé au même instant ? J'ai pensé à l'abbé Jean ! C'était sa faute. Il avait, par son comportement, changé le cours de ma vie. J'aurais pu, croyais-je alors, devenir un grand artiste et j'allais être un homme des bois. J'ai désiré le tuer. Mais le tuer pour de vrai.

J'imaginai que je l'avais attaché à un poteau et que je l'avais placé sous une lampe soleil. Là, parce qu'il ne pouvait plus bouger, lentement, les uns après les autres, jusqu'à ce qu'ils se coagulent et sèchent, je cassais des œufs sur sa tête et les laissais couler. Il en était progressivement tout couvert, il étouffait sous les œufs, cuit par un soleil artificiel. J'y renonçai, c'est clair, pour songer à me tuer.

Adieu, projets ! Adieu, mes amis ! Adieu, collège ! Adieu, mon Dieu ! J'allais connaître une troisième naissance, à dix-sept ans, en décembre, sous le signe du Sagittaire. Mais non, mais non ! Je restais natif du signe des Poissons, entre deux eaux. Serais-je requin, morue, saumon, brochet ou sardine ? Mordre à tous les hameçons, toujours ? Eh ! eh !

« S'il vous plaît, vous me devez mon enfance, ma pureté, ma tendresse, ma bonne foi, vous me devez encore bien d'autres choses : mes névroses ; ajoutez à cela ma sensibilité défaite, ma crainte de vivre au crédit d'un mauvais passé. Vous me devez, n'oubliez pas, Jésus, mon idéal perdu, les Beaux-Arts qui n'ont été que rêve. Vous ne m'avez pas crédité de mon grand cœur, de mon amour de la qualité, des humains, d'Antoine, de mes frères et de mes sœurs. N'est-ce pas suffisant comme dette ? » Je lui ai tout dit. Je lui ai montré le poing. Je l'ai traité de tout ce qu'on voudra, lui puis ma sainte mère et tous les curés, puisque tous m'expédiaient avec des bûcherons.

Les bûcherons ? Qu'est-ce ?

Un homme à hache? D'accord! Je tiendrai la mienne. Attention, n'approchez pas! Je vais tuer.

— Hostie de tabernacle de saint ciboire de dix rangées de Christ cordées bout à bout dans dix bancs d'église!

Je sursautai en entendant cette litanie sacrée sur le quai de la gare. Deux hommes en colère, les poings serrés, s'affrontaient, en enjambant leur havresac, les sciottes, les haches qu'ils avaient laissé tomber par terre. Ils devaient prendre le même train que moi, se laisser emporter vers le Grand Nord.

Entendez-vous le sifflement de la machine? Les deux hommes se calment. Nous allons monter.

«Monte, mon gamin, fais ta grande âme! Aide ton papa, secours la famille, renonce à toi, à tes œuvres et à tes pompes! Deviens homme des bois, quitte ta ville natale, la puante Trois-Rivières! Allons, attache les boutons de ta gabardine, noue bien ton foulard de soie blanche autour de ton petit cou, mets tes gants de fine peau de veau, pose légèrement ton petit pied dans les cinq pouces de neige fraîche! Ne frissonne pas! Fais l'homme! Sois à la hauteur!

— On t'écrira. Tu enverras de l'argent? On t'aime bien!

Et les larmes, les maudites larmes qui figent sur la joue au fur et à mesure qu'elles s'échappent parce qu'il fait froid et que je ne suis pas assez fort pour les refouler.

Tchou! Tchou! Monsieur l'abbé Jean, je suis dans le train du Paradis et de la rémission. Je vais gagner mon ciel dans les forêts du Nord. Je me renonce ! J'abdique ! Ô ma jeunesse, que je m'abdique pour me dévouer aux autres, car Jésus a cessé de parler ! L'Esprit, de saint qu'il est, commence à s'humaniser, et Dieu mort, je vais lui survivre puisque je n'ai pas le courage de me suicider.

Le train siffle. Une épaisse fumée sort de la machine, l'enveloppe en la caressant presque. Je choisis une banquette sur laquelle je m'installe avec des journaux et des revues. Personne ne me prête attention, jusqu'à La Tuque, mais, comme je suis toujours du voyage, on ose finalement me parler et m'interroger.

Je voudrais dire ce que je ressentais alors, et y parviendrai à peine car je ne peux évoquer cet instant sans contracter mon visage. Il y avait un mur, une distance, un monde presque, entre eux et moi. Du moins je le voyais ainsi, non que mon vêtement tranchât sur les leurs — j'allais vite devoir les imiter et m'habiller comme eux — mais leur langage, leurs manières, leurs mœurs, tout était si différent !

Nous arrivâmes au petit matin et des autoneiges nous emmenèrent à quelque cent milles plus loin, par-delà des lacs et des plaines. On nous donna à dîner dans la grande salle du poste de relais et, dès après, nous nous séparâmes selon les chantiers de coupe qui nous étaient destinés. Je fus invité à monter dans la caisse d'un camion rempli de barils de naphte et d'autres marchandises, car il n'y avait pas de place à l'avant où deux hommes s'étaient déjà installés. Le voyage dura deux ou trois heures par des routes impeccables, plus larges que les voies habituelles, sur lesquelles nous rencontrions, de temps à autre, d'immenses camions chargés de billots. Le froid était cruel. J'avais relevé le col de mon imperméable, enroulé un foulard autour de ma tête, calé mon béret par-dessus et, les mains enfouies dans mes poches, je m'étais recroquevillé, la tête entre les genoux. Seuls les yeux bougeaient de gauche à droite, de bas en haut, fouillant le paysage nouveau qui défilait de chaque côté du camion.

Au camp, quand on sut qui j'étais, on s'excusa de m'avoir relégué à l'arrière de la cabine qui, de droit, revenait au commis. Quelle importance que ce fût moi ou un autre — d'autant plus que l'homme qui avait pris ma place aurait pu être mon père ! Droit d'âge sur droit de fonction : tel était mon sentiment. Je dus ajuster mon attitude par la suite car presque tous se comportaient comme des enfants qui en demandent deux quand vous leur offrez un bonbon. J'appris vite à leur tenir tête avec un seul.

Découverte, étonnement, malaise et, finalement, adaptation. De la cabane qu'on me donna, j'allais faire une maison habitable. Je n'allais certes pas vivre comme un cochon dans cette bauge.

C'était une maison qui devait avoir quinze pieds de large sur vingt-cinq de long, sans cloison aucune, avec au centre une truie ; à gauche, près de la porte d'entrée, une tablette sur laquelle était posé un seau d'eau gelée ; à droite, une table, fixée à même le mur, devait servir de bureau et, à côté, un sommier posé sur quatre bûches, un matelas roulé ; au plafond, un fanal était suspendu à un fil de fer. C'était là tout le

mobilier. Par terre, deux grandes caisses de pape-
rasse, de crayons, et autres articles de bureau.

J'avais été invité à dresser une liste des objets
dont j'aurais besoin et, à cet effet, la compagnie mettait à notre disposition un inventaire des produits que
nous pouvions commander. Ce fut la première chose
que je fis, le manteau sur les épaules, après avoir demandé au *choreboy* d'allumer un feu dans la truie. Je
dressai une longue liste, la signai, la jetai dans le sac
aux lettres et attendis. Il se passa deux lentes semaines avant que le chantier fût en état de fonctionner et
que tous les hommes fussent inscrits.

Les premiers arrivés furent le *foreman* Millette,
son fils Louis, le cuisinier, les *choreboys* et moi. Tous
me mirent au courant des usages et des habitudes,
avec une indifférence totale et un froid égal à celui
qui régnait en maître sur toute la région. Quand les
hommes arrivaient et venaient s'inscrire dans mon
camp, ils se regardaient tous, les uns les autres, les
yeux grand ouverts, surpris autant que mal à l'aise
devant le luxe qui s'étalait devant eux. J'avais pris
une couverture de flanelle et en avais fait des rideaux
que j'avais mis à toutes les fenêtres. Tous les murs
avaient été recouverts de feuilles de carton pressé.
J'avais encastré mon lit, élevé des cloisons, construit
un comptoir, un bureau et un fauteuil à l'aide d'un
vieux baril de clous, mais si petit, le fauteuil, que
j'étais seul à pouvoir m'asseoir dedans ; ce qui me
valut d'être traité de *selfish* par Millette.

Non. Égocentrique j'étais, déjà, après ces deux
semaines, vivant dans ce rectangle, loin de ma famille,

de mon collège, de mes amis, de ma ville. J'allais apprendre à vivre autour de moi-même. Mieux encore, après avoir creusé un trou dans le mur et introduit une dalle en bois, je me construisis un lavabo et, à l'étonnement de tous, une toilette à même un vieux bidon de lait dont le pourtour était confortable aux fesses. Ce système se révéla si utile que je fus imité par le cuisinier, car rien de pire qu'être obligé de sortir la nuit pour aller aux chiottes. Curieux, il y a des choses qui ne se font pas au froid vif. C'est mortel !

Et le temps fila. On apprit à se connaître, à perdre certaines méfiances, à ne plus tenir compte de mon jeune âge, de ma petite taille ; on commença de se raconter et de raconter les autres, tant et si bien qu'au bout de six mois je les avais tous dans ma poche. Je savais qui ils étaient, d'où ils venaient, s'ils étaient mariés, combien d'enfants ils avaient, quels étaient leurs problèmes, leurs joies, leurs ambitions, leurs rêves.

J'ai déjà écrit sur ce monde-là. Mais, là encore, j'ai tellement menti, ne serait-ce que sur l'authenticité d'une fille nommée Johanne qui n'a jamais existé, si ce n'est dans mon imagination, car j'avais besoin d'elle pour romancer. J'eus besoin d'un dénommé Superman qui, lui, a vraiment existé, pas aussi brave et bon que je l'ai voulu, mais aussi vrai. Il fut mon premier guide. J'appris de lui ce qu'est une femme, ce que sont les mensonges de l'amour et ce que sont les humains. Il m'apprit à douter de la charité qui n'est plus de ce monde, à confondre le bien et le mal qui relèvent de la subjectivité, du milieu, du contexte et des mœurs de chacun. Il m'apprit à ne rien juger, et à ne jurer de rien. Quand vint le temps de parler de Dieu, il me mit face à la logique qui était la sienne. On en a discuté des heures, et des heures. Et pourtant, il n'avait aucune éducation, aucun savoir précis, aucune formation pour raisonner comme il le faisait. Il vivait avec amour, voilà tout. Fallait le voir m'entraîner à sa suite et m'ouvrir les yeux sur la vie ! Dieu sait, dans les chantiers, comme l'univers est limité !

Je recevais parfois des livres et des journaux. Superman ne savait pas lire. Je lisais. Il commentait avec un bon sens qui ne pouvait pas tromper, une observation et une connaissance exceptionnelles des hommes.

Nous avions beaucoup de traits communs et de manies communes. Quand nous marchions, par exemple, nous étions de ceux qui cherchent toujours à s'envoler, sautillant d'un pas à l'autre, hésitant à poser le talon, de crainte de rester sédentaire. Aussi comme moi, quand j'étais au collège et refusais de me mettre en rang, il refusait de partir à son lot de coupe à la queue des autres.

« Des suiveux », disait-il, les regardant aller au travail. Il y allait pourtant, mais par un chemin à lui, sa sciotte sur les épaules, sa hache à la main, ses cheveux roux au vent, toujours nu-tête, même par grand froid.

De sa vie privée, je ne sus que ce que j'en inventai, car il ne précisa jamais rien, me livrant à toutes les suppositions. Des autres hommes connus au cours des années que je vécus en forêt, je retins peu de noms, à peine quelques visages, parfois un regard qui m'avait ému. Tout retourne à Superman dont le cœur était celui d'un adolescent.

Lorsque les immigrants arrivèrent, la vie changea du tout au tout. Ils apportaient avec eux, de la guerre, non seulement des blessures physiques et morales et une vue ouverte sur le monde, mais des mots nouveaux à mes oreilles : syndicat, union ouvrière, fascisme, communisme, nazisme, démagogie, économie, science politique et bien d'autres. Ils venaient de tous les milieux, non des meilleurs, mais on pouvait compter parmi eux de pauvres types déchus qui, médecins, avocats ou ingénieurs, furent tous forcés, en vertu des lois sur l'immigration, à s'engager pour un temps donné dans les exploitations forestières avant de pouvoir jouir des mêmes droits que les *natives*.

Est-ce l'arrivée des immigrants qui chassa Superman ? Je me rappelle seulement qu'il n'était plus là quand ils vinrent. Je me jetai sur eux comme un affamé sur un morceau de pain.

Et j'écrivais tous les jours, à mes sœurs, à papa, aux amis que j'avais abandonnés au collège et qui m'étaient restés fidèles. Je leur faisais part de ce que j'apprenais, de ce que je vérifiais ; notre correspondance devint une table ronde autour de laquelle tout était discuté et remis en question.

Parce que j'avais changé de cadre et de milieu, que je vivais avec des hommes vrais et non des curés, dans un monde où il n'y avait pas de religion — le mot *Dieu* ne venait sur les lèvres que pour blasphémer —, nos échanges devinrent sujets de conflits et de disputes. Alors qu'ils apprenaient la philosophie dans les livres à penser comme Thomas d'Aquin, j'apprenais la philosophie de la vie et à penser par moi-même. Parfois je leur en voulais de me parler en boy-scout, en jéciste, moralisant à longueur de lettres ; mais à la longue, ils m'aidèrent à me débarrasser de préjugés religieux, d'idées toutes faites, de ces notions vagues et livresques sans rapport aucun avec la réalité et la vie. Je me sentais supérieur, non par l'instruction et la culture dont j'étais privé, mais par l'expérience quotidienne, la connaissance au lieu du savoir. Et Superman ne valait-il pas tous les professeurs qu'ils avaient ? Je n'avais rien à leur envier car Superman savait nommer les plantes et les fleurs, les animaux et les insectes, dire les secrets de leur vie. Et s'il lui arrivait, avec affection, de poser son bras autour de mes épaules, c'était naturel et ça ne débouchait pas sur autre chose. Bien sûr, au début, je me méfiais chaque fois que j'étais l'objet d'attentions soutenues des bûcherons privés de femmes, mais avec le temps, je perdis ma méfiance et pris comme ils la donnaient leur primitive tendresse.

Quelle école ! Ce fut un cours secondaire formidable !

Chaque jour, écrivant mes lettres, qui étaient des exercices, j'apprenais à m'exprimer, à clarifier mes pensées, à me définir. Je n'avais pas à craindre l'adversaire ; il était abstrait ou le devenait. Plus tard, revoyant ces amis, il nous fut presque impossible de communiquer à nouveau de vive voix.

Au sortir des chantiers, je connaissais à peu près tout ce que je connais aujourd'hui. Je ne savais rien. J'allais devoir tout vérifier. Et quoi ! Ayant été conditionné à considérer la vie amoureuse ou sexuelle comme une plaie, un mal inévitable ou une tare humaine, il me fallut apprendre que sans cette vie l'homme n'est rien, tant elle est la clé de toutes ses autres vies. Chaque fois, d'ailleurs, que je rencontre un être qui ne cherche plus l'amour, je me dis qu'il est mort, et s'il est une adolescence à ne jamais perdre c'est celle-là. Pour sûr, il est pénible d'avoir à découvrir la réalité au travers de tels hommes embourbés dans les tabous, les mythes, le mimétisme et les morales qui ne tiennent compte de rien. Les uns les autres étaient semblables jusque dans les tares. À peine leurs vices étaient-ils différents, mais comment savoir tant ils étaient cachés ? Pourtant, on dirait que chacun les invente ou les réinvente par souci d'exclusivité. Sans jouir des privilèges d'une soutane, j'ai trop confessé pour ne pas douter de la grandeur des hommes. J'ai appris par le scandale. Rien de tel qu'un choc pour sortir de soi, tout remettre en question, tout réapprendre.

Quand une mouche se colle à une toile d'araignée, disait Superman, elle détruit la toile ; l'araignée mange la mouche et elle recommence à tisser son piège. De mes illusions, je dirais qu'elles étaient des toiles d'araignée, dans lesquelles de temps à autre venaient se prendre quelques mouches de vérité.

Pour Superman, je devais être comme un jeune chien. Il le prenait par le cou pour lui coller le nez dans sa crotte, de sorte qu'il la sente bien, en lui disant : « On fait ça dehors », avec une tape sévère sur le derrière.

Il me collait le nez dans la dureté de la vie, dans la monstruosité des êtres ou, ce qui serait mieux, dans leur humanité. Pourquoi dire humanité quand c'est bestialité qu'il conviendrait de dire si on craignait moins les mots ! Quoi, le cuisinier, assis sur sa chaise, se complaisait à regarder, à ses genoux, la tête du *choreboy* lui livrer des plaisirs ? Les singes font la même chose ! Inutile de décrire ce que nous savons tous pour autant que nous ne fermions pas les yeux, d'abord sur nous-mêmes. On me dira que Superman ne devait pas, qu'il aurait dû protéger ma jeune âme (elle était chez l'abbé Jean comme un signet de bréviaire… et me montrer de la vie ce qui en était divin ? La vie n'est pas divine, mais humaine, animale et un déchet en devenir !

Aussi, apprendre à tout considérer sans scrupule, et à tout entendre, en voir de toutes les couleurs dans l'inventaire des sentiments humains. Et rester humain. Quand on avait froid, il faisait bon le dire : « Fait fret, hein ? » Ça réchauffait de le dire. Quand on bandait, on bandait en commun, ou presque ; c'était physique après le froid, lorsqu'on entrait dans la cabane et qu'on se tenait debout autour de la truie, les mains à plat sur le sexe. Et c'était vrai ainsi de suite. Malheureusement, l'esprit ne tenait pas beaucoup de place et comment en aurait-il tenu ? Quand les hommes abrutis de travail rentraient exténués, à bout de forces, fragiles comme des glaçons, plus de place pour les idées, la réflexion et autres nourritures. À peine pouvaient-ils entendre lire les lettres stupides et mièvres qui leur étaient envoyées et qui, sauf de rares exceptions, n'étaient que demandes d'argent.

C'était là un monde où le crachat réglait tout en allant s'étaler sur le sol immonde et crasseux. « Qu'on me crisse la paix ! »

Le dimanche, seul jour véritable, la langueur, l'ennui venaient se faufiler dans les camps parmi les hommes laissés à eux-mêmes. Et la tristesse était lourde comme la nuit. On s'ennuyait de baiser, de jouer avec les enfants ; on aurait voulu partager le dîner du dimanche, être allé à l'église rencontrer les amis et les parents des rangs voisins. Ça, c'est la vraie prière. De l'autre, on en fait une histoire de femmes, d'enfants et de vieux. Les hommes mûrs qui s'y adonnaient encore étaient considérés comme des attardés qui avaient oublié d'enlever le ruban bleu de Marie.

Vivre dans des conditions semblables ne durcit pas son homme comme on serait tenté de le croire : bien au contraire, ça le ramollit. Et la peau du visage fouettée par toutes les intempéries prend une opacité et, par-ci par-là, se greffent des rides témoins. Sous l'éclat de la lumière du nord, quand le soleil fait la neige phosphorescente, et dans la Méditerranée où les couleurs sont cuisantes, les yeux prennent de l'âge au coin des paupières, et sur nos masques se dessinent des traits qui disent la vérité. J'ai appris à aimer avec ces hommes, parce qu'ils m'aimaient, même s'ils me traitaient d'enfant de chienne, de petit criss et de tout

ce qu'on voudra. Je leur rendais bien la pareille.
Sait-on ce que c'est des hommes, dans la pureté de
leur sexe, sans mesquinerie, sans hypocrisie, sans dé-
tour de femmes ? Les contacts sont fragiles, sensibles,
et peut-être plus sensuels qu'on veut l'admettre. Et
les fausses pudeurs envolées, voyons comme les rapports se soldent par des tendresses réelles.

« Personne ne se gêne pour caresser un chien, disait Superman en passant sa main dans mes cheveux.
Je voudrais bien voir le tabarnac qui osera me dire un
mot. »

Je ne répéterai pas l'affection que Superman
avait pour les bêtes et comment il eut à souffrir qu'on
ne lui permît pas d'en garder une. Curieux, je ne connais pas un seul homme qui aime les bêtes et qui
n'aime pas les hommes. Je ne parle pas des femmes,
qui ont une toute autre approche des animaux.

Ma première vraie cuite, je l'ai prise avec Superman. Pas un seul reproche, pas de conseils à boire
comme ceci ou cela et pas de jugement. Il a été présent, m'a aidé à vomir, m'a mis au lit, m'a veillé et
est venu, dès sa journée de travail terminée, voir si
j'allais mieux :

— Tu apprendras à boire tout seul. Une ou deux
cuites comme ça et ça guérit son homme à tout jamais. Faut savoir se soûler sans être malade, petit, sinon ça ne vaut pas le coup !

J'ai rapidement appris, prédisposé par mes anté-
cédents familiaux et par une constitution nerveuse
telle qu'en moins de deux je pouvais brûler plus d'alcool que je n'en buvais. Du moins, à cette époque.

Ma première femme ç'a été avec lui. Mais je n'ai pas osé le suivre au bordel, retenu par une étrange dignité. Je ne voulais pas payer pour faire l'amour. J'aurais voulu qu'on me paie si je peux dire, conscient de donner autant que je recevrais. Les années ont confirmé, à quelques exceptions près, l'idée des rapports sexuels que j'avais alors. Aujourd'hui je crois que je paie différemment, sans mettre la main à mon porte-monnaie. Je paie, globalement, la dépendance et tout ce qui en résulte. Superman disait que nous étions des génies pour avoir spolié l'amour. Mes expériences ont confirmé. À telle enseigne que l'amour est réservé à de rares privilégiés et que les autres font les singes.

Oh, si je raconte cela, ce n'est pas pour moraliser, car nous avons épuisé nos dieux, Jésus ou Marx compris ! Qu'importe ! Ce que je raconte n'est là que pour montrer le chemin parcouru entre le jour où j'entrai au chantier et le jour où j'en suis sorti.

À certains, j'apparaissais comme un être anormal, déséquilibré, schizoïde, homosexuel, obsédé, et quoi encore. Je m'apparaissais comme un jeune homme déchiré. Je croyais en la qualité, et, Dieu mort, que nous avions hérité de toutes les beautés et que pour les découvrir il nous envoyait, en sus, les immigrants. Qui étaient-ils, de quel pays, qu'avaient-ils vécu, comment vivaient-ils ? Je savais vaguement, pour avoir subi l'éducation de quelques Européens, à quoi m'en tenir, mais les hommes que j'allais rencontrer et connaître devaient différer de ces curés, trop épargnés et trop choyés par la vie.

❏

Ils arrivèrent un matin, par temps froid.

Un froid qui cassait les clous, avec un bruit sec et sinistre. La fumée s'échappait lourdement des tuyaux des poêles qui piquaient leur silhouette noire dans un ciel clair. C'était sec. Tellement froid. La neige, d'une consistance de verre concassé, crissait sous les pas !

Quand le camion est arrivé, tous les hommes qui n'étaient pas allés au travail ce matin-là tant il faisait froid vinrent coller le nez contre les carreaux en faisant fondre de leur haleine le frimas des vitres. Ils étaient une trentaine, mal vêtus, chaussés de souliers qui en avaient vu d'autres, sans mitaines aux mains, un havresac ou un baluchon sur le dos, nu-tête pour la plupart, de la glace dans la barbe. Tous étaient gelés jusqu'à la moelle, riant tout de même, pour ne pas pleurer, et ils se donnaient de grandes claques pour se réchauffer. Tous paraissaient sales, pouilleux ; surtout démoralisés. Alors, du fond du camion, à part des autres, descendit Philippe, un Français, élégamment vêtu et portant de solides et chaudes bottes, un pantalon de ski bien coupé, une canadienne, neuve encore. Il était grand, mince et anémique, les joues roussies par le froid, le regard bleu ciel, la tête haute, impressionnant. Il sauta à bas du camion et tira vers lui une malle en osier — ce qui suffisait à attirer l'attention.

Ils entrèrent et se précipitèrent vers la truie qui chauffait, indifférente au froid qui entrait par la porte.

— La porte ! criai-je.

Personne ne sembla comprendre et je dus la fermer au moment même où le Français entra, s'excusant en passant devant moi.

— Entrez vite, on gèle !

Il ne dit pas un mot, déposa sa malle près de la porte et alla, comme les autres, tendre ses mains à la chaleur.

Je commençai de préparer des formulaires d'emploi et demandai à l'homme qui se trouvait près de moi : « Alors, on vient bûcher ? On est content ? »

Pas de réponse. Je compris aussitôt qu'il ne parlait pas ma langue. Le Français avança vers moi, me remit une liste qu'on lui avait confiée, et dit :

— On me prie de vous remettre cette feuille. Nous sommes deux Français, cinq Belges, des Polonais, des Roumains, des Hongrois, des Yougoslaves et deux Allemands.

J'inventoriai ce monde d'un demi-tour de tête et, posant mes yeux sur le Français :

— Qu'est-ce que je vais faire ? Je ne parle que français !

— Je vous servirai d'interprète, dit-il sèchement. Je parle plusieurs langues.

— Tant mieux, dis-je, mettons-nous au travail.

Il demanda si je ne pouvais pas attendre que les hommes se soient réchauffés. J'acceptai et, le temps de me vêtir chaudement, je les entraînai à ma suite pour leur désigner un camp, leur donner un lit et des couvertures. Le Français s'appliqua à traduire dans toutes les langues ce que j'avais à communiquer ; à savoir que le magasin serait ouvert l'après-midi, qu'on leur ferait crédit, qu'ils y trouveraient bas, serviettes, savon et autres accessoires.

Quand je prononçai le mot *crédit*, le Français me regarda comme si j'avais dit quelque chose d'anormal. Je dus lui expliquer la politique de crédit de la compagnie qui en accordait le plus possible pour s'assurer la stabilité de la main-d'œuvre, car impossible de quitter un camp si on devait de l'argent ou si les gains ne suffisaient pas à régler le coût de la pension.

Le même soir, tard, tous les dossiers furent complétés, je connaissais le nom de tous, savais d'où ils venaient, ce qu'ils avaient fait auparavant ou quels métiers ils avaient exercés. Philippe était l'infirmier. Il sortait d'un camp de concentration où il avait fait fructifier ses talents puisqu'on l'avait promu médecin. L'autre Français avait travaillé dans une étude et avait exercé tous les métiers. Il s'était mis à gueuler, dès le premier jour, contre les conditions matérielles, contre ses voisins, contre la nourriture, contre le climat, et il sut, avec un don extraordinaire, se faire détester par tous quelques jours après son arrivée, au point que personne ne lui adressa plus la parole qu'en cas de nécessité. Cette façon, vieille depuis toujours, était très répandue dans les chantiers. Rien comme l'indifférence totale pour apprendre à un être soi-disant social à se bien comporter, pour avoir droit de jouir de cette société.

Un matin, une bataille survint dans la cuisine. On vint me chercher, je me demande encore pourquoi, car n'importe lequel de ces hommes aurait pu me mettre en pièces d'un seul coup de poing. J'arrivai trop tard. Le Français était couché par terre, saignant du nez, un œil au beurre noir. Il avait osé tempêter contre la cuisson des œufs et le cuisinier n'avait pas aimé ça. Ce fut une leçon exemplaire. Les jours qui suivirent on ne connut pas plus canadien que ce Français. Il mangeait sans mot dire, avec un appétit terrible et joyeux quand il se mettait à table. La cuisine n'était pas aussi raffinée que celle qu'il avait connue avant la guerre, mais elle était abondante, copieuse, propre, variée et nutritive. Quoi de plus pour des hommes qui trimaient dur, dans des conditions difficiles. Il en vint à se prendre d'amitié avec d'autres hommes, de sorte que, quelques semaines après son arrivée,, il s'efforçait de mal parler, de sacrer comme eux. Oh, il venait se justifier à mes yeux de temps à autre : « Comprenez, commis, vous savez, c'est pour me mettre à leur niveau. » Je lui avais répondu qu'il n'avait pas à s'abaisser, que ces hommes le valaient tous, même s'ils parlaient mal et sacraient. Nos relations en restèrent là et nous n'abordâmes plus jamais le sujet. Il s'intégrait lentement ; même, j'appris qu'il avait entrepris de transformer les hommes et, le soir, il leur enseignait à écrire, discutait de tout. Il fit un travail magnifique auquel je ne restais pas insensible.

Six mois plus tard, tous les soirs, dans l'office, c'étaient des discussions formidables sur la politique, sur les mœurs, les femmes, les pays, l'argent, la guerre et ses douloureux souvenirs, les habitudes de vie et quoi encore. Ceux qui voulaient venir étaient les bienvenus. On buvait du café, on fumait comme des cheminées. C'était beau de voir ces hommes rudes, qui avaient peiné toute la journée, ouvrir leur cervelle et dire, sans crainte et sans complexe, leur ignorance et leur appétit de connaître, face à des étrangers.

Ils ne venaient pas tous, que non ! Juste ceux qui croyaient avoir encore à apprendre et qui espéraient, à la fin de la saison, suivre le chemin d'autres curiosités. Dirai-je assez ce que j'ai appris au cours de cette saison ? Faudrait-il donner les noms des fromages, des crus de France, sans parler des artistes ou des poètes que Philippe m'apprit à connaître et à aimer ? Imaginez le contraste avec les saisons précédentes, où seul Superman arrivait à communiquer. Avec Philippe, maintes fois nous allions nous promener, surveillant les aurores boréales, parlant peu, ou lui, racontant ses amours avec la femme de sa vie qui devait venir le retrouver. Il répondait à mes questions avec une aisance, une facilité, en des mots magiques qu'ignorait Superman.

Parce que moins avantagé physiquement que son collègue français, j'obtins, puisqu'il était interprète, qu'il fût affecté à des travaux domestiques, au cas où ses services seraient nécessaires. On le nomma assistant-cuisinier, ce qui consistait à peler les pommes de terre, à remplir les tartes, à laver la vaisselle, etc.

Il avait d'abord été affecté à un lot de coupe, comme tous les autres, mais au cours d'une inspection, quand je l'aperçus, les mains rougies et fendillées, au bord de l'épuisement, je lui promis un autre emploi. De plus, il ne parvenait même pas à couper une corde de bois par jour quand les autres y allaient de leurs trois cordes. Les autres ! S'intéresser aux autres ! La meilleure évasion à cette solitude, à cet ennui, à ces jours qui se ressemblaient et ne semblaient jamais vouloir finir ! Vivre pour Paul, pour Philippe, pour Superman autrefois, pour Jack et tous les bûcherons sans lesquels la vie aurait été intenable. Distant de tous, quand je les menais au bout du doigt ; et fils de tous, quand j'appris à les aimer. L'arrivée des immigrants changea tout. Je souhaitais qu'il en arrive par centaines et par milliers, comme des fourmis, transmettant leurs mœurs et leurs coutumes, nous invitant à les suivre, eux qui savaient le prix de la vie et des choses de la vie mieux que nous qui étions nés dans l'aisance et la facilité, qui avions de quoi manger, du travail et mille promesses devant nous, privilégiés ou non.

Un matin on m'amena un Polonais qui venait de poser le pied sur un clou rouillé. Comme ma tâche consistait également à donner les premiers soins, il me fut relativement facile de laver la plaie au peroxyde, d'enlever, à l'aide de pinces, les petits morceaux de rouille qui apparaissaient à la surface du talon, de badigeonner le tout avec du mercurochrome et de renvoyer le Polonais au travail.

Quelques jours plus tard on vint me chercher car le Polonais ne pouvait plus se lever, il avait la fièvre et délirait. J'accourus avec la pharmacie portative et, croyant qu'il avait attrapé un virus, quelque microbe, ou souffrait d'une vilaine grippe, comme cela arrivait, je lui donnai de l'aspirine et lui appliquai une compresse d'eau froide sur la tête. Je voulus lui parler, mais je ne compris pas un traître mot de ce qu'il voulait me dire dans un français bâtard, mâché et incohérent. M'arrêtant à la cuisine pour boire une tasse de café, je parlais tout bonnement du Polonais malade quand Philippe, qui m'écoutait, demanda :

— Il ne peut pas se lever, dis-tu ?

— Ça m'a tout l'air que non, dis-je.

Il lança aussitôt son torchon à vaisselle sur une des tables et, sans prendre la peine de se vêtir, il courut au camp du Polonais en m'enjoignant de le suivre. Ce que je fis, hébété, haussant les épaules, tout comme le cuisinier qui n'y comprenait rien.

Au chevet du malade, il se mit à discuter avec lui.

— Allez, dit-il, sans prendre la peine de traduire, va chercher ta trousse, des ciseaux, tout ce qu'il y a.

De retour, je vis qu'il avait mis de l'eau à bouillir, qu'il avait déchiré le pantalon du Polonais et qu'il s'apprêtait à couper sa botte.

— La gangrène s'est mise là-dedans. Il a peut-être le tétanos !

Je ne comprenais rien de rien. Il ouvrit la trousse et se mit à jurer comme je ne l'avais jamais entendu. Puis, il se calma.

— De toute façon, dit-il, ça servirait à quoi ? Je ne peux pas.

— Quoi ? demandai-je.

— Je ne peux pas opérer, je me ferais poursuivre devant les tribunaux. Mais, toi, tu peux.

— Moi ! Je n'y connais rien.

— Écoute, dit-il, tu as le droit de soigner puisque tu es commis. On ne va pas laisser mourir ce gars-là.

— Il est donc si gravement malade ?

— Mais oui. Je t'expliquerai plus tard. Fais ce que je te dis.

— Fais-le toi-même, je dirai que c'est moi !

Il refusa, prétextant que le Polonais pourrait le dénoncer. Il était si nerveux que j'acceptai de faire ce qu'il me disait.

On mit une lame de rasoir à bouillir, on parvint, non sans mal, à enlever la botte du Polonais, on lui donna une de ces rasades d'alcool à tuer un ivrogne et quand on eut coupé le bas avec les ciseaux qu'on remit à bouillir, le pied enfla à vue d'œil. Philippe le souleva délicatement, plaça un oreiller dessous et, tout en parlant au Polonais qui se lamentait, il me fit signe de badigeonner le talon avec le mercurochrome et de prendre la lame de rasoir stérilisée. Il désigna de son doigt là où je devais entailler. J'avais beau hésiter, lui dire : « Tu es sûr que c'est nécessaire ? Il n'y a pas de danger ? » en petit imbécile que j'étais, il dut se fâcher pour que j'entaille. Dès que la lame fut entrée, le pus se mit à couler encore et encore au fur et à mesure que j'ouvrais. Pendant ce temps, Philippe pressait la cheville du pauvre homme qui hurlait de douleur, jusqu'à ce qu'il parût satisfait de l'opération. Moi, le cœur me levait, tant les pieds de l'homme puaient et tant il perdait du pus. L'opération terminée, on désinfecta la plaie et on enveloppa le pied de compresses chaudes.

— Mais, tu trembles ! remarqua-t-il.

— Moi ? Non !

Je tremblais beaucoup trop pour continuer à mentir et, feignant de m'en étonner, je prétextai la fatigue :

— Tu sais, je me suis couché très tard, hier.

Il passa sa main dans mes cheveux :

— Ça doit être ça, dit-il en souriant.

Je lui fus reconnaissant de n'avoir pas insisté.

Le soir, notre malade n'étant guère mieux, je pris la liberté de téléphoner au dépôt et de prévenir la compagnie. Deux jours plus tard, le Polonais partait. Je ne reçus aucune nouvelle de lui, dans les jours qui suivirent, et nous supposâmes, Philippe et moi, que tout devait bien aller, mais, dans le courrier du lendemain, je reçus une lettre du service médical de la compagnie me demandant des explications.

Cela a mal été les jours d'après. On m'accusait de pratique illégale de la médecine. Je trouvais ça drôle et triste en même temps. Curieux ! Je sauvais un homme sans savoir ce que je faisais ou presque, et on m'accusait de pratique illégale de la médecine ! Au dépôt où j'allai rencontrer le médecin-chef de la division forestière, j'eus la grande satisfaction d'apprendre que tout n'avait été que menace. J'en fus quitte pour une semonce et on m'invita à confier dorénavant ces cas à qui de droit.

Petit fait divers comme nous en avons tous vécu. J'ai cependant vu des Belges démolir deux Allemands qui portaient sur l'épaule un signe bien connu. J'ai vu des accidents, tel ce dynamiteur qui n'avait pu reculer assez vite et qui avait sauté avec la charge. On me le ramena couvert d'échardes. Il m'a fallu des heures pour arriver à soigner le pauvre homme, avec pour seul outil une pince à épiler et du mercurochrome. Quand j'eus terminé l'opération il était méconnaissable, couvert de petits points rouges.

Je tremblais toujours après, jamais sur le moment, comme si les nerfs tendus se relâchaient enfin. D'autres histoires, de la plus simple à la plus grande, du petit incident au grand incident. À taire, n'en faire mention que pour montrer que ces moments aidèrent à m'endurcir, à certains points de vue, à regarder les hommes avec souvent une certaine froideur, plus encore à détester ces lieux où on les rassemble comme des animaux — je dis : les usines, les prisons, les camps, là où il y a nombre et où le nombre se prend pour l'homme quand l'homme va tout seul dans l'oubli.

Heureusement que j'avais la chance d'être patron, de pouvoir me dissocier et me singulariser. Le contraire aurait suscité ma révolte, comme la révolte vint, dans les camps, après l'arrivée des immigrants. Puisque nous ne savions pas ou presque pas ce qu'était un syndicat, les Belges, qui avaient travaillé longtemps dans les mines de charbon, entreprirent de faire notre éducation syndicale et politique. D'un commun accord il y eut grève, sans que le syndicat fût encore formé, grève illégale, mais efficace. Les revendications étaient simples : nous voulions des draps pour les lits, nous voulions le droit de quitter le camp quand bon nous semblait, et sans nuire au travail, car les bûcherons qui étaient forts arrivaient à terminer leur semaine le vendredi. Ils pouvaient donc s'absenter les samedi et dimanche et jouir de leur vie familiale.

D'ailleurs les routes étaient de plus en plus praticables, plusieurs possédaient une automobile, beaucoup achetaient des scies mécaniques qui leur permettaient d'augmenter leur rendement. Ces scies gâchèrent, hélas, l'atmosphère poétique qui existait dans ces lieux. Sifflement sinistre et lugubre des dents de scie dans le bois vert et ronronnement des moteurs à essence. La forêt perdait sa paix, ses retentissants coups de hache, ou cette musique douce et rythmée sur l'énergie de l'homme que faisait la sciotte. Et on s'entendait parler quand on se rencontrait, jetant les mitaines par terre pour rouler une cigarette. Même ça fut démodé. On fumait des cigarettes toutes faites. Les camps de bois rond furent remplacés par des camps préfabriqués. C'était le progrès. Je n'en voulais pas et je choisis pour lieu de travail un chantier lointain, où le portage était nécessaire, donc difficilement accessible aux grands patrons, paresseux, qui préféraient le camion à la marche. Je pouvais ainsi jouir d'un horaire de travail qui me convenait, le soir plutôt que le jour, ne pas avoir à me lever le matin, et ainsi de suite. Le contraire m'aurait obligé à me soumettre à une discipline, à une routine, et m'aurait fait perdre une liberté que je considérais, et considère encore, comme essentielle.

Mon camp fut un refuge, et celui qui donna le ton, car nous étions au courant de tout ce qui se faisait ailleurs, et nous pouvions du fait de notre isolement exercer des pressions directes sur le *jobber*. Quand les inspecteurs venaient nous entendre, il y avait deux jours que tout était rentré dans l'ordre. Plus rien à redire. La nouvelle se répandait et d'autres camps s'évertuaient à nous imiter. On en vint même à demander la faveur de travailler chez nous. Pourquoi? Ce n'était pas pareil, disait-on. «Il paraît que chez vous, vous dormez dans des draps!» Nous étions tous très fiers!

Et des nouvelles continuaient de me parvenir, de ma famille surtout, dont les membres s'étaient presque tous dispersés aux quatre coins du pays, même à l'étranger.

Anne écrivait très peu, qui prétextait ne pas y arriver; Yvette me gâtait de la métropole où elle réalisait mon rêve, l'étude des Beaux-Arts. On l'avait laissée choisir cette carrière parce que c'était une fille, et la plus gâtée. Toujours elle avait obtenu ce qu'elle avait désiré, parce qu'elle était l'aînée des filles peut-être. Elle eut droit à ses livres, à sa couturière, à son chien, à ses Beaux-Arts et à quoi encore? Jusqu'à son homme qui vint l'épouser un jour déjà nommé. Nous nous complaisions. Nous étions complices par la distance et sauvés du quotidien avec ce qu'il apporte de mesquineries, de défauts et de traits de caractère à supporter. Toutes ses lettres étaient poétiques. Elle savait parler comme pas une du soleil, de la neige sur la ville ou des lumières que la pluie dédoublait. «Mai se lève pour cueillir son muguet. Crois-tu que Dieu m'aime mieux quand j'apprécie la nature ? Dieu, au fond, qui est-il ? Un arbre, la nuit, l'aube de mon sourire ? » Elles avaient beau être bien écrites, être intéressantes, toutes ses lettres me plaçaient face à cette réalité : j'étais loin des autres, j'étais seul, je n'avais personne de mon âge avec qui partager des préoccupations de mon âge. J'étais prématuré et je subissais avant l'heure une injection de vieillesse. C'était bien, lire de sa sœur qu'elle avait été au théâtre, au cinéma, que la semaine précédente il y avait eu dîner d'amis. Moi, je devais me contenter de partager les repas, en silence, avec les autres hommes, comme au temps de mon enfance où le silence était bêtement imposé, sous prétexte d'activer le service. Et le jour, toujours seul, dans mon camp, avec le ronronnement du feu dans la truie ; parfois, la visite d'un *choreboy*, du *foreman*, du cuisinier, qui venaient à tour de rôle perdre une demi-heure, dire ce que je savais déjà, ou divaguer sur le temps qu'il faisait. Le temps ! Sans importance : soleil ou pluie, hier, demain ou après-demain ? Seul du matin jusqu'au soir à attendre les repas, tout de même, parce qu'il y aurait des présences ; puis attendre le soir, l'heure où j'ouvrirais le magasin où tous les hommes viendraient s'approvisionner de cigarettes, de médicaments, de vêtements ou me demanderaient d'écrire des lettres ou de lire celles qu'ils avaient reçues. Le tout comme une routine stérile, jusqu'à l'arrivée des immigrants, dont je disais qu'ils étaient des civilisés. Non en soi, mais par rapport aux hommes grossiers des camps grossiers. Les derniers six mois passèrent très vite. Je

quittai définitivement cette vie, trop tôt, en un sens,
et trop tard, dans un autre sens.

Papa écrivait, lui aussi. Je savais tout ce qui se
passait à la maison, je suivais la progression lente et
cruelle de la maladie de maman, je voyais grandir
mes plus jeunes frères et je lui répondais et lui en-
voyais de l'argent.

De l'argent, toujours de l'argent ! Quelle importance, j'en avais si peu conscience et si peu besoin,
logé, nourri et vêtu ! À cet âge, on se passe de bien
des choses et on se contente de peu. J'avais au moins
la fierté de lui être utile quand mes frères faisaient
montre de mesquinerie ou ne pouvaient pas l'aider.
Chacun avait ses raisons d'agir. Louis songeait au
mariage et, se souvenant sans doute comme il avait
été mal aimé, il se disait peut-être qu'il valait mieux
ne pas se montrer trop généreux au cas où on lui re-
procherait d'être intéressé, et de vouloir acheter les
bonnes grâces qu'on lui refuserait autrement. Quant
à Gaston, avec le salaire qu'on lui versait dans la marine, il n'avait pas de quoi aller plus loin que ses abo-
minables cuites qu'il prenait chaque fois qu'il mettait
pied à terre ; et puis, les bordels coûtaient cher.
L'aîné avait peine à sortir de ses difficultés financiè-
res. Impossible d'attendre quelque secours de lui. Et
les filles ne travaillaient pas, heureusement ! Claire
qui était étudiante infirmière vint cependant assister
papa, veiller à l'éducation des petits, avec dévoue-
ment et tendresse, s'occupant de tout, femme et mère
avant l'âge, comme l'ombre de maman qui n'était
plus bonne qu'à se bercer, qu'à réclamer, qu'à

critiquer comme jamais auparavant et dont la princi-
pale activité consistait, après avoir pleuré sur elle-
même et sur ses enfants, à écrire testament sur testament, le changeant tous les jours, le déchirant, en
recommençant un autre en faveur du dernier qui lui
avait fait une gentillesse.

Moi, elle m'a écrit deux seules lettres. La première, quand je suis retourné au collège, sous la tutelle de l'abbé Jean. Une lettre de bêtises, de repro-
ches, où elle m'accusait de tous les défauts. La
deuxième, plus tard, avant qu'elle ne meure, sans
doute pour confirmer ce qu'elle pensait de moi et me
le répéter au cas où j'aurais eu l'indécence d'oublier.

Que ça allait mal dans cette famille! Comme
Claire souffrait de devoir prendre tant de charges et,
la pauvre, attendre une reconnaissance que personne,
du fait de l'âge ou des circonstances, n'était en mesure de lui prodiguer! Anne était déchirée par son
adolescence et ses menstruations douloureuses. Elle
passait son temps étendue sur son lit, livrée à des rê-
veries étranges que le désordre de sa chambre devait
favoriser. C'est ainsi que je les revis tous un jour de
congé où je vins me retremper dans l'atmosphère familiale.

Antoine grisonnait péniblement, il levait le
coude avec assiduité et tentait d'alléger cette vie qui
entrait dans une phase douloureuse. D'abord il savait
que sa femme allait mourir, il voyait ses enfants
grandir, quitter la famille et s'éloigner les uns des autres; il se voyait travaillant pour un maigre salaire
après avoir joui luxueusement et bourgeoisement de

la vie. Il s'inquiétait pour tous et, comme il s'affaiblissait sous le poids des épreuves, il ne savait plus comment se comporter dans les circonstances difficiles, sinon avec une sorte de froideur, un certain silence, et un haussement d'épaules démissionnaire. Quand parfois je l'accompagnais en promenade, nous parlions un peu, avec l'amitié que nous avions l'un pour l'autre, sans entrer dans les détails intimes. Il était réservé, par pudeur et par crainte d'être jugé ou de décliner à mes yeux, de ne pas être à la hauteur de l'image qu'un père se doit de donner à son fils.

Il parlait de ma mère en amoureux, me disait d'elle des choses agréables. Et je n'en croyais rien, tant avec nous elle se montrait acariâtre, possessive, jalouse, détestable et si inutile. Bref, l'atmosphère était au pire. Quand je venais, comme ça, quelques jours, j'étais toujours témoin de scènes pénibles qui me troublaient profondément. Combien de fois n'ai-je pas, le jour même de mon arrivée, souhaité repartir par le prochain train et fuir cette atmosphère névrosée, déchirante et déchirée ? Spectacle d'une tristesse, et j'étais impuissant à la soulager. De plus, Yvette commença d'être malade et dut recourir aux soins d'un psychiatre. Claire devait suivre cet exemple quelques années plus tard, tout comme moi d'ailleurs, quelques mois après la mort de maman. J'en reparlerai le plus ouvertement possible, ne serait-ce que pour démontrer le charlatanisme de certains psychiatres et leur incompétence. J'étais pourtant un bon cobaye, ne trouvez-vous pas ? Papa avait le bon Dieu avec lui, qu'il priait avec ferveur, se remettant entre ses mains.

Pas une de ses lettres qui n'en fît mention. Il donnait l'exemple par principe. Ce que je remarquais particulièrement était sa soumission à la Providence. Avec elle, comme s'il se fût agi d'une vraie présence, il composait sa vie. Malheureusement pour lui, peu parmi nous suivaient ses traces.

Puis-je seulement redonner à ces souvenirs l'importance qu'ils eurent ! Revoir comme autrefois est impossible. Ce qui se dégage compte à peine.

Ce fut mon dernier congé avant l'hospitalisation inéluctable de maman. On avait invité des gens à la maison, dont une amie de toujours, que nous appelions tante et qui n'avait aucun lien de parenté avec mon auguste famille ; d'ailleurs elle en aurait eu un que cela aurait suffi pour qu'elle ne mette jamais les pieds chez nous, comme c'était le cas, à une ou deux exceptions près, dans ma famille. Du côté de maman, on venait différemment, presque en pauvre, pour les fêtes ou pour des occasions de politesse. Alors donc, autour de la table, sur laquelle on avait déposé un feutre vert, les cartes passaient déjà dans les mains des joueurs, et maman, selon son habitude, grignotait des amandes, pour passer sa nervosité de grande joueuse. Elle était très mauvaise perdante et passionnée. Remarquez comme les amis se trahissent aux cartes et perdent toutes les pudeurs, surtout celle de se montrer comme ils sont. Le silence était de rigueur car on jouait sérieusement. En entrant dans la salle, je saluai tout ce beau monde, embrassai ma tante comme il convenait et serrai la main des hommes. Je m'approchai tout naturellement de ma mère et, poussé par un sentiment de tendresse, facilité par ces présences qui m'épargnaient le tête-à-tête, je posai tendrement les mains sur ses épaules et l'embrassai dans le cou. Ce geste anodin et sincère fut reçu de telle manière que je l'entends encore : « Oh ! comme c'est gentil ! C'est comme ça que j'ai toujours souhaité voir mes enfants, affectueux et tendres avec leur mère ! »

Je me suis senti rougir jusqu'à la moelle. Tous les regards étaient fixés sur l'enfant modèle ! J'aurais aimé que mon geste passât inaperçu, qu'elle le prît sans façon, mais non, il fallait, encore une fois, qu'elle se rendît désagréable. C'était vrai que nous n'étions pas affectueux, conditionnés à ne pas l'être. Je répondis alors froidement, avec une certaine brutalité :

— Cela ne tenait qu'à vous.

Elle entra dans une grande colère, montra aux amis quels ingrats nous étions, quand elle nous avait tout donné et qu'elle s'était saignée à blanc, selon son expression favorite. Voilà qu'elle levait les bras au ciel et déclamait :

— Je me demande ce que nous avons pu faire au bon Dieu pour avoir des enfants pareils !

Antoine souriait pour temporiser. Tante dit que ses enfants étaient comme nous, que l'affection n'allait pas les étrangler, et la conversation se poursuivit sur ce beau sujet dont quelques bribes me parvinrent à travers la porte de ma chambre où j'avais vite été me réfugier. Quand, à douze ans, on embrasse son père et qu'il se refuse sous prétexte que ce n'est pas d'un homme, qu'un homme ne doit jamais pleurer,

qu'un homme doit tendre une solide et ferme main,
qu'un homme ne doit pas toucher à un autre homme,
que les baisers à sa mère en sont de mécaniques, faisant partie d'un rituel bien orchestré — on dit bon-
soir à papa et à maman, avant daller au lit ; on embrasse la joue de maman comme si on embrassait un
dossier de chaise ; on va aux toilettes faire pipi, on
brosse ses dents, on se lave et on boit un verre d'eau
pour ne plus avoir à se lever. Quand les enfants seront tous couchés, les parents seront tranquilles ;
comme disait maman à huit heures : « Encore une petite demi-heure et on va avoir la paix ! » Elle cessa de
le dire quand nous fûmes en âge de veiller jusqu'à
dix ou onze heures. Mais, à onze heures, je devais
être rentré. Je travaillais depuis déjà quelques années. J'assumais avec mon père des charges de famille. Ce qui ne me donnait pas plus de privilèges
qu'à mes autres frères et sœurs. Je devais donner le
bon exemple et rentrer à onze heures du soir.

Étrange maladie que celle de la paternité. On se
refuse à voir grandir et vieillir ses enfants, car on les
voudrait, tant on les aime pour soi, toujours sous sa
tutelle. Comment oser qualifier d'amour aimer ainsi,
vouloir ceci ou cela pour eux, jusqu'à prétendre les
conduire au sacerdoce ou à la faculté de médecine ? Il
n'y a pas de pire viol que celui-là. On devrait accepter au départ les enfants comme des singes, et s'étonner qu'ils deviennent des hommes, en se contentant
de leur donner l'exemple, au lieu de toujours défendre, de toujours mourir, ou de brandir le péché à toutes les occasions. Tenez, à dix-neuf ans, dans l'indé-

pendance financière où j'étais, et la dépendance où était ma famille, je n'avais pas le droit de prendre un fruit, une sucrerie ou autre chose, sans demander l'auguste permission à ma sainte mère. Étrange !

Un jour, comme ça, je m'emparai d'une banane qui était dans un plateau placé sur le réfrigérateur hors de portée des tout-petits. Maman était assise dans sa berceuse, son coussin sous le bras — ce coussin qui lui tenait lieu de sein et la tenait en équilibre — et se balançait, lisant une de ces revues de décoration intérieure dont elle faisait une consommation quasi sacramentelle, rêvant toujours aux maisons qu'elle avait eu le bonheur d'habiter, ou à celle qu'elle habiterait un jour, quand Antoine aurait remonté la côte. Lorsqu'elle négligea sa revue pour prendre une gorgée de Coca-Cola, elle me surprit prenant une banane. J'eus droit à une scène :

— Combien de fois faudra-t-il te répéter qu'on demande la permission avant de se servir ?

Conscient de mes droits sur la banane, je la lançai violemment sur le mur, où elle alla s'écraser. Maman cria : « Antoine ! Antoine ! » se leva et me frappa de son pauvre bras malade, jusqu'au moment où, révolté, je l'empoignai pour l'obliger à se rasseoir. Le cœur battant, je lui disais :

— Calmez-vous, vous vous faites mal !

Tout aurait été si simple si elle n'avait rien dit, si elle m'avait fait un clin d'œil. Je me serais assis face à elle et j'aurais épluché lentement ma banane avec une tendresse pâteuse et charnelle. Au lieu de ça, des cris, des appels à Antoine ! Antoine, encore une fois, pris en sandwich, ne sachant plus quoi inventer pour ramener l'ordre et la paix, qui intervient :

— Laisse tomber, Marcel. Comprends ! Ta mère est nerveuse et malade.

— Je m'en balance ! Je m'en vais demain. Je suis mieux dans les chantiers.

J'allais dans ma chambre refaire ma valise ; je téléphonais pour connaître l'heure de départ du prochain train et, s'il restait du temps, je sortais. Mais elle m'attendait et, dès mon retour, elle me harcelait de questions :

— D'où viens-tu ? Tu rentres bien tard. Qu'est-ce que tu as fait ?

— Cinéma.

— Au cinéma ! Antoine, criait-elle, Antoine !

— Voyons, qu'y a-t-il encore ? demandait papa.

— Défends-lui de remettre les pieds au cinéma.

Antoine me regardait, me faisait un signe pour m'inviter à ne rien dire et pour éviter toute discussion.

— Tu as compris, reprenait-il, ta mère te défend d'aller au cinéma.

C'était ainsi pour combien d'autres gestes ou d'autres attitudes ?

— As-tu fini de marcher ? Tu m'énerves !

Un peu plus et elle comptait mes pas comme elle comptait mes cigarettes.

— C'est ta quinzième, aujourd'hui.

Alors, je prenais un livre et j'allais me réfugier dans ma chambre pour ne pas avoir à lui répondre si elle décidait de m'adresser la parole.

Elle venait m'y retrouver et criait :

— Vas-tu passer ta vie à lire ?

Je refermais désespérément mon livre et sortais, fuyant la maison et ses cris hystériques. Ah ! cette chère voix !

Comment avoir de bons souvenirs ! Ceux que j'ai sont passablement cruels et ce sont, hélas, ceux-là qui ne se font pas oublier. Car elle avait du génie pour inventer ce que nous détestions. La brave ! Elle allait mourir. J'étais sûr qu'à son dernier soupir je commencerais à respirer. Elle a retenu ce soupir avec une sorte de persévérance sublime, en nous étouffant tous très lentement. Et papa avec nous, déchiré de plus en plus. Il l'aimait tellement, il en parlait avec des mots si pieux, y allant de « sainte femme » et de « sainte mère », qu'à l'entendre j'avais Marie pour mère. J'étais donc l'Enfant Jésus ? On allait me crucifier ? Papa Antoine, c'était donc saint Joseph ?

Le train me ramena dans la forêt avec mes bûcherons, avec ma solitude, avec, depuis quelques mois, l'espoir d'en sortir une fois pour toutes et de réorienter ma vie.

De semaine en semaine, les lettres de papa annonçaient le déclin de maman. Elle avait perdu conscience, ne reconnaissait personne et souffrait énormément malgré la morphine qu'on lui administrait à forte dose. Il m'invita donc à venir, si je voulais la revoir vivante une dernière fois. J'y suis allé pour lui, non pour elle puisqu'elle ne reconnaissait personne, et encore moins pour moi. Les moribonds m'ont toujours tapé sur les nerfs. Ils sont déjà engagés dans un autre monde où le dialogue est impossible. Mieux, la mort ne m'impressionne pas. C'est une évidence acceptée sans que je sache expliquer d'où cela me vient. Je suis avec ma mort pour mieux vivre et jouir plus intensément de la vie.

Je pris donc un congé de fin de semaine et me rendis à l'hôpital.

❏

J'entrai dans la chambre sans lire la pancarte épinglée sur la porte : « Les visiteurs ne sont pas admis », et glissai un regard pour juger d'un seul coup de l'ambiance de la pièce.

C'était dimanche, jour des visites ; contrairement aux autres chambres, celle-ci était paisible, un peu sombre avec ses rideaux tirés. Le mobilier métallique sentait l'usine. Un bouquet égayait l'anémie de la pièce et la malade en recevait à peine les tièdes rougeurs. Je la regardai.

Le côté droit était totalement paralysé et recroquevillé. Le visage grimaçait et l'œil gauche était exorbité. Ses lèvres crispées et tremblantes murmuraient quelque chose qu'on ne parvenait pas à comprendre.

Sur la table de chevet : dentier, mouchoirs en papier, fioles, chocolats et fleurs. Dans ses mains : un chapelet, qu'elle ne parvenait pas à réciter et qu'elle prenait parfois pour le placer dans un verre à moitié rempli d'eau où baignait déjà son râtelier et, avec le crucifix qu'elle retirait de sous son oreiller, elle brassait le tout, se prêtant à je ne sais quelle mixture, imaginant je ne sais quelle recette de cuisine dont elle avait le secret.

Non, elle ne priait pas. Elle avait l'air petite.

Antoine était assis dans un fauteuil ; la fatigue des longues nuits de veille avait incrusté sur son visage un masque de lassitude. Par terre, éparpillés autour du lit, s'étalaient des boules de papier, témoins de la dernière crise de maman ! Elle prétendait que mon frère Louis, caché sous le lit, imitait le Diable et la menaçait. Elle lui lançait alors des boules de papier. Elle était encore obsédée par Louis, la bête noire, l'enfant à part, qu'elle avait pris en grippe, malgré elle, sans savoir pourquoi. Je soutiens que c'est par jalousie. Mon père avait eu un ami qu'il avait aimé par-dessus tout et qui était mort en bas âge. Par sentimentalité et amitié il avait donné son nom à son deuxième fils. Maman n'aimait pas cet ami parce qu'elle en était jalouse. Oh ! ce que Louis a dû souffrir à cause d'elle ! Et elle, à cause de lui !

Contrairement à ce qu'on m'avait dit, elle m'a reconnu. Elle a murmuré :

— Marcel.

Son corps s'est contracté. En me prenant la main, elle a dû sentir que je la détestais.

— Suis heureuse de te revoir, parvint-elle à dire d'une voix étouffée.

S'est tue, m'a regardé, a fermé les yeux et ajouté qu'elle avait lu dans les cartes que j'allais toujours être très malheureux. Elle aimait consulter les cartes. Ce qui est terrible, elle prédisait bien et avait fini par y croire.

Alors mon oncle Fernand entra à son tour. Il souriait nerveusement en torturant le nœud de sa cravate. Il n'eut pas le temps de dire un seul mot que maman manifesta le désir de manger des fèves au lard avec nous deux puis, comme si elle venait de voir une apparition, elle se mit à traiter son frère de sans-cœur.

— Tu n'as pas honte de visiter ta sœur mourante avec une cravate rouge ?

Oncle Fernand baissa la tête. Il avait de la peine ! Antoine s'approcha et le consola :

— Ce n'est plus la même, elle voit des choses. Délire, comprends-tu ? lui dit-il en l'entraînant hors de la chambre.

Je restai seul avec elle, qui était retombée dans le coma.

Je ne tenais pas à lui tenir compagnie, dans cette atmosphère, dans cette écœurante odeur de remèdes.

Je me levai, la regardai encore une fois. Savoir ce qu'elle pouvait penser, si elle pensait encore ? Comprendre ce qu'elle avait réellement été avant d'être malade ?

Soudain, j'ignore pourquoi, je m'approchai d'elle, lui pris le bras, simulai une caresse jusqu'à sa gorge. Une seule pression et surveiller de quelle façon la vie s'échappe. Son regard semblait me maudire.

Je quittai brusquement la chambre et me retrouvai dans le couloir, que mon père et mon oncle arpentaient. Mon oncle semblait consolé. Et quand Antoine m'a tendu la main en me souhaitant un bon voyage, Fernand a murmuré :

— Elle ne passera pas la nuit.

Tandis que j'attendais l'ascenseur, je les vis une dernière fois hocher la tête.

Jamais je ne fis pire voyage de retour que celui-là. J'eus l'impression, durant tout le trajet, d'être hanté par le remords. Je n'avais plus quinze ans, j'étais en âge de comprendre ; il n'y avait aucune raison pour que j'en reste à mes impressions des dernières années. Supposons, me disais-je, qu'elle ait été comme ceci ou cela, qu'elle ait fait ceci ou cela ? Papa m'avait écrit que la maladie la minait depuis plus de cinq ans, que là étaient l'explication et la justification de son comportement avec lui et avec nous. Il disait sûrement la vérité ! Je me trouvais monstrueux de n'être pas assez détaché et assez objectif pour la voir avec suffisamment de recul et l'aimer. Non, je n'y arrivais pas et m'en voulais d'en être incapable. Je n'étais pas ce qu'elle croyait, il est vrai. Je m'étais montré honnête, généreux, franc et sincère. Pourquoi devais-je me sentir coupable ? Coupable de quoi ? De ne l'avoir pas aimée ? Mais elle n'était pas aimable. De ne l'avoir pas comprise ? Mais je n'étais pas en âge de comprendre. D'avoir comploté avec mes frères et sœurs et que nous soyons liés contre elle ? Mais c'était la seule sécurité qui nous restait. Non, je ne dirai jamais assez ce que fut ce voyage ! Et pire encore, cette atmosphère persista les jours suivants, jusqu'au matin où le téléphone sonna pour m'annoncer qu'elle était morte.

Je ne fus pas surpris. J'attendais ça depuis longtemps. Je soupirai, non comme je m'y attendais, sans exploser, sans me mettre à voler. En restant tel que j'étais.

À la maison, je surpris mon père pesamment assis dans un fauteuil. Il auscultait déjà les souvenirs.
À côté de lui, à portée de la main, une bouteille ouverte, presque vide. Je l'avais imaginé abattu. Il me
souriait. Lui aussi, pensai-je, avait dû attendre cette
mort. Lui aussi avait dû respirer. Ou buvait-il uniquement pour noyer la réalité ?

— Elle est morte, bien morte, me dit-il.

Morte, évidemment ! Bien morte ? J'eus envie de
lui crier : « Voyons, tu sais bien, papa, qu'elle ne pouvait pas, ce serait injuste ! » Je me suis tu. Antoine
m'offrit un verre. J'avais regardé la bouteille. Pour la
première fois de ma vie, je buvais avec lui.

— C'était quelqu'un, ta mère. Vous ne l'avez pas
connue. Si malade, changée, elle n'était plus la
même.

Antoine parlait lentement, la langue lourde, les
paupières tristes.

— C'était une femme réellement accomplie, une
maîtresse de maison exemplaire.

Il me la décrivait en amoureux aveugle et déjà
privé. Il en a parlé longtemps. Je le découvrais ba-
vard. Le portrait qu'il me peignait d'elle ne ressemblait pas à celui qu'elle nous avait laissé. Je doutai de
nous, un instant, mais plus il parlait, plus je doutais
que la maladie eût changé ma mère à ce point. Lui-
même, il n'était pas comme cela, la veille de sa mort.
Maintenant, il ressemblait à un pantin accroché à une
main morte. Je lui tendis mon verre, qu'il emplit de
nouveau, sans faire de remarque. Deux heures plus
tard, nous étions encore là, devant une bouteille vide

et une autre fraîchement ouverte. Puis, Anne vint nous prévenir qu'il était temps d'aller au salon mortuaire. Antoine me précéda.

Cercueil feutré d'un tissu violet. Satin savamment froissé. Poignées d'argent. Un parfum fort désagréable. J'ai revu ma mère métamorphosée par un traitement de beauté pour morts.

On l'avait revêtue d'une robe austère. Ses mains jointes autour d'un chapelet semblaient de cire. Ce n'était déjà plus la même. Cette morte avait donné la vie. Maman mauve, poudrée, fardée, frisée, embaumée ! Elle avait été belle.

Dès mon entrée dans le salon mortuaire, qui était éclairé de chandelles électriques, j'aperçus mon père. Il se tenait debout, cigarette à la main. Il avait de l'allure, joues roses, cravate noire, un maintien, quelque chose. Il souriait dans sa tristesse, un sourire qui mettait en valeur sa dent en or.

— Ta mère.

M'a dit ça calmement, avec sympathie, en me la désignant du doigt. Ça ne m'a rien fait.

Gaston est arrivé après moi. Il m'a serré la main. Il y avait très longtemps que nous ne nous étions vus. Il a secoué la main d'Antoine avant de s'approcher du cercueil.

— Comment Antoine prend-il ça ? me murmurat-il à l'oreille. Tu sais, je n'ai pas l'intention de pourrir trois jours dans cette maudite boîte. Si nous allions prendre un verre ! Tu viens ?

Je n'ai pas voulu. Je préférais rester avec Antoine. Gaston est parti seul. Papa a hoché la tête et haussé les épaules. Et Gaston a bu. Il a bu sans arrêt, même que, la veille de l'enterrement, on a dû le sortir de prison car il s'était fait arrêter pour ivresse sur la voie publique et vagabondage. Comme le disait Antoine : « Quelle idée d'être en prison le jour même de l'enterrement ! » Sensible, Gaston noyait ses souvenirs, ses regrets, sa mère.

La première journée s'acheva doucement. J'allai fumer avec mon père dans la pièce voisine. Nous restâmes là des heures, silencieux. La mort de ma mère me le rendait un peu ; elle l'avait gardé pour elle si longtemps.

Le portier venait de temps à autre. Il s'informait. La morte allait bien et nous aussi. Quelques curieux se succédèrent près du cercueil. Ils échangeaient des remarques et se retiraient en nous faisant l'aumône d'un regard apitoyé. Je crois qu'ils auraient aimé qu'on leur parle, qu'on leur raconte l'histoire.

« Cancer. C'est jeune ! Surtout pour les enfants ! Oui. Depuis très longtemps. Le docteur ? Un excellent médecin ! À l'hôpital. Une chambre privée ? Allons donc, ça s'imposait. Une fortune. Pour ça, c'est certain. Merci ! »

Je parlais à la foule qui habitait ma tête en voyant entrer et sortir ces inconnus qui ne m'interrogeaient pas. Puis, personne. Nous sommes restés là, Antoine et moi, à attendre d'autres chasseurs d'indulgences.

— Il paraît que c'était drôle ?

J'ai dit cela pour engager la conversation. Papa m'a regardé. Il a répondu :

— C'était parfois drôle. Dans le fond, ce n'était pas drôle du tout. Absolument pas.

Il ne savait pas s'il avait le droit de rire du ridicule de la mort. En effet : ce n'était pas drôle du tout et c'était drôle en même temps. Dans les moments tragiques ou tristes, il y a une étincelle qui ne jaillirait pas en d'autres occasions.

À six heures, nous sommes allés dîner à la maison. Guy et sa femme arrivaient. Nous avons parlé d'un tas de choses : surtout de la mort. Antoine, qui avait des idées très personnelles sur la mort, disait :

— Un mort, c'est un mort. Comme un caillou, un morceau de bois, un os. C'est tout.

Alors, après l'avoir écouté, je demandai :

— Comme ça, ça ne vous ferait rien si je conservais son crâne ?

Il a riposté :

— Mais es-tu devenu fou ! Tu n'es pas sérieux !

— Le crâne de maman ou le crâne d'une inconnue. Quelle importance ? J'en désire un, dis-je.

Et comme il était très orgueilleux, après ce qu'il venait de dire sur la mort, il ne se sentit pas le courage de reculer.

— Je le demanderai à qui de droit, dit-il.

Ma belle-sœur s'est fâchée. Elle criait au scandale et me demandait :

— Que veux-tu faire avec un crâne ?

Elle ne me comprenait pas. J'avais mes idées. J'aimais les crânes. Je l'aurais mis sur ma table de travail ou parmi d'autres bibelots. Quand les amis seraient venus, je leur aurais dit : « Je vous présente ma mère ! » D'autres fois, assis à travailler, je me serais arrêté une minute pour méditer et analyser mes souvenirs. Ma belle-sœur m'a traité de sadique, de nécromane. Papa s'est écrié :

— Tu ne vas pas un peu trop loin ?

Guy s'est emporté et tout cela s'est terminé par une dispute familiale dont je me suis soustrait en ajoutant :

— Il faut bien lui laisser le temps de pourrir un peu. On en reparlera après

— Du respect ! s'exclama Antoine.

Mes derniers mots nous avaient coupé l'appétit.

Je n'ai jamais eu le crâne. J'en rêvai longtemps. Pouvoir dire à mes amis : « Je vous présente ma mère ! »

Après souper, nous sommes tous retournés au salon mortuaire sauf Gaston, mais au cours de la veillée, Guy a insisté pour qu'il vienne nous rejoindre. Il trouvait son absence inconvenante. C'était peut-être inconvenant, mais Gaston ne voulait pas venir. Qu'importe, nous étions presque tous là.

D'ailleurs, ce premier jour, il ne s'est rien passé. Ce fut comme une petite réunion de famille : un lessivage de souvenirs. Quelques amis de mon père sont venus nous visiter. Il nous les présentait à tour de rôle. Et chacun de nous offrir des condoléances toutes artificielles. Quand ils étaient partis, nous échangions nos remarques et, comme il se doit, riions d'eux. Ils étaient trop ridicules. Jusqu'à onze heures. Après, nous sommes rentrés à la maison boire un café avant de nous mettre au lit. Antoine a dit :

— Demain, la parenté va sûrement venir !

La parenté arriva le lendemain. Beaucoup de monde ! Au début, ils étaient tous bien tristes. Après, l'atmosphère a changé. C'était plus nerveux. On racontait des histoires et on en riait de bon cœur. Surtout les hommes, confortablement assis dans le fumoir. Les femmes se tenaient ensemble. C'est d'usage. Elles monologuaient. Leurs conversations se sont envenimées quand elles ont parlé testament. C'est un sujet terriblement délicat. Il y a eu des insultes, des disputes. Puis, oncles et tantes se satisfaisaient en reluquant de temps à autre du côté du cercueil, interrogeant la morte : « Que m'as-tu laissé ? » et ils inventoriaient, à l'aide de souvenirs, sa garde-robe, ses petits coffres à bijoux et que sais-je encore, s'estimant créanciers par les liens du sang, de l'amitié ou du mariage, comme si la mort se devait de dépouiller les morts de ce qui les faisait envier. On les a vus, les parents, comme ils étaient. Je ne raconterai pas tout ce qui s'est passé cette journée-là. C'était sinistre.

Le deuxième soir, après que le portier eut affectueusement salué tout ce monde, ils sont venus coucher à la maison. Ils ont encore eu un plaisir fou, excessivement fou. Personne n'a dormi de la nuit. Les blagues circulaient, de plus en plus grossières. Il y avait les gestes aussi. J'ai des oncles sensuels et des tantes terriblement provocantes. Ils profitaient de l'occasion. Tout est occasion. Une petite tape par-ci, par-là, sans compter ce que je n'ai pas vu. Comme si l'idée de la mort ravivait les sexes !

Si maman était apparue au beau milieu du bal, j'aurais bien ri ; ils en auraient tous fait une tête !

Le lendemain matin, jour de l'enterrement, d'autres oncles et d'autres tantes sont arrivés. Il y avait Colette, ma cousine. La dernière réunion se tint au salon mortuaire. On se serrait les mains. On s'embrassait sans aucun respect pour la morte. Quelques tantes, à peine arrivées, pleuraient à chaudes larmes. Tous les grands sentiments humains se sont subitement étalés, sans gêne, sans artifice !

À neuf heures trente, l'ordonnateur des pompes funèbres pénétra dans le salon, invitant l'assistance à réciter une dernière prière. Il s'approcha ensuite d'Antoine et lui demanda s'il pouvait fermer le cercueil. Froidement, il fit signe que oui.

— Antoine, Antoine, pourrais-je avoir son chapelet ? s'écria une tante, la larme à l'œil.

Ce chapelet de valeur retenait les doigts de ma mère. Antoine a regardé ma tante. Il ne l'aimait pas. Il fit signe à l'ordonnateur de fermer le cercueil. Tante a beaucoup pleuré. L'ordonnateur a fixé le couvercle. Mon père n'aurait pas été capable de paraître plus triste que lui. Quel comédien ! On souleva le cercueil très sérieusement et le cortège s'ébranla dans une parfaite affliction. Il fallait bien faire les choses. Maman s'en fichait pas mal et nous aussi, mais la parenté était là. Jusqu'au dernier moment, il importait d'impressionner.

Beau. Chaud. Enterrement d'automne. C'est toujours impressionnant.

Ils ont placé le cercueil dans une voiture noire très rococo avec des anges, des colonnes et des rubans sculptés tout autour. Le fourgon était si grand

que, l'espace d'une seconde, je crus que la famille
irait prendre place sur deux banquettes parallèlement
disposées le long du corbillard. Quatre chevaux très
noirs. Le croque-mort a déposé la gerbe de fleurs.
Nous avons une grande famille. La carte pendait un
peu. Il y était écrit: «Les enfants». Gaston avait
acheté la gerbe. Il trouvait gênant de voir sa mère
morte sans une fleur.

Les hommes allèrent se ranger derrière le corbillard. Les femmes prirent place dans les voitures.
Les femmes! On aurait pu placer leurs chapeaux sur
le toit du corbillard!

Ce furent de belles funérailles; ce qu'il y a de
plus riche: tapis, cierges, musique, diacre, sous-
diacre, larmes et mouchoirs.

Très long. Trop. Il faisait chaud. J'éprouvais le
besoin de vivre autrement cette belle journée. Je voulais profiter du dernier soleil.

Cousine Colette était à mes côtés. Nous devions
avoir le même âge. C'est ma plus belle cousine. Elle
m'obséda dès le début du service religieux. Debout,
à l'Évangile, je pris sa main. Elle me regarda en souriant. Nous avions hâte de sortir. J'étais fier d'être
avec elle. Et quand, à la fin de la cérémonie, nous
sortîmes sur les marches de l'église, j'ai cru qu'il y
aurait une photographie de famille, comme pour les
mariages. Mais non, Colette me tournait la tête.

Nous avons regagné les voitures. J'allai m'asseoir près d'elle dans l'auto de son père. Il a blagué
tout le long du trajet, en riant de papa parce qu'il
avait eu recours à ce vieux corbillard.

— Ton père n'est réellement pas de son temps, disait-il.

Il trouvait ça long, comme tout le monde. Il jurait. Les chevaux avançaient lentement, conscients de leur rôle. Je frottais discrètement un genou contre la cuisse de Colette, désirant que ce trajet dure toute la vie, et ma main tâtait son épaule ronde et délicate. Elle vibrait. Ses yeux noirs lançaient des promesses.

Après quarante-cinq minutes de ce voyage, les voitures s'immobilisèrent. Les gens en descendirent. Les hommes éteignirent leur mégot. L'ordonnateur des pompes funèbres nous précéda dans une petite chapelle qui sentait le moisi. C'est là que j'ai dit à Colette :

— Tu me plais.

Elle a serré ma main, a soupiré, a gonflé sa poitrine, et ses paupières se sont mises à papillonner.

Dans cette chapelle moite, suintante, à l'odeur de bouquets humides et fanés, ce fut sinistrement comique. Un demi-mort a chanté d'une voix d'outre-tombe, décomposée : « La mort a passé, mon frère, et tu passeras, et le feu de l'enfer illuminera le ciel… » Toute la chapelle a ri, même papa qui se devait d'être sérieux. Nos rires ont insulté le chanteur et l'ordonnateur des pompes funèbres. Il paraît que cela aussi faisait partie du service de première classe.

Après le cantique, nous envahîmes le cimetière. Il a fallu attendre. Le fossoyeur n'avait pas encore fini de creuser. C'était un petit monstre aux yeux sadiques. Oncle Arnolphe a crié, la main en portevoix :

— Phéphine, Phéphine, viens voir, viens voir plus près !

Sa voix gutturale a résonné dans le cimetière. Tous l'ont regardé, l'œil surpris. Lui, replaçait d'une claque son dentier mal ajusté sur le point de tomber dans la fosse. L'ordonnateur se composa une grimace pour dissimuler sa contrariété.

— Je n'ai jamais vu cela ! s'exclama-t-il.

Colette se tenait près de moi. Je m'appropriais sa taille de mes doigts en araignée qui feignait de tisser la soie mauve de sa robe. Je devinais sa peau. Elle marquait de petits mouvements très agréables. Guy se faisait un devoir de tenir la main de sa femme. Antoine fixait la fosse. Gaston avait rencontré un cousin aussi sensible que lui. Ils riaient nerveusement. J'ai appris, par la suite, qu'ils avaient organisé un pique-nique avec des petites cousines de ma mère. Claire et Anne s'effaçaient parmi les invités.

Ils ont laissé descendre le cercueil. Système mécanisé. On appuie sur un bouton et le tout s'enfonce. La mécanique a mal fonctionné. Le cercueil s'est d'abord incliné sur le côté puis a cédé et s'est retourné complètement sur lui-même, à l'envers. Maman devait être toute défaite.

Ma tante, qui avait demandé le chapelet, nous fit une nouvelle crise. Elle criait, pleurait, suppliait, gesticulait, se tordait hystériquement les doigts.

— Antoine, je veux son chapelet, le chapelet de ma petite sœur !

Toute la parenté l'a regardée. L'ordonnateur a paru très étonné. Papa ne savait que faire, que dire.

S'il avait osé à ce moment, je crois qu'il lui aurait donné une toute petite poussée, pour qu'elle glisse dans la fosse.

— Antoine, Antoine !

Elle suppliait tout le monde, l'abbé et même maman.

— Je veux son chapelet !

Papa a consenti à laisser descendre le fossoyeur. L'ordonnateur a répété :

— Je n'ai jamais vu cela !

Tous se sont approchés un peu plus près, d'un même mouvement, dans une harmonie familiale exemplaire. Oncle Arnolphe a crié encore une fois :

— Phéphine !

Cercueil ouvert. Ma mère était complètement retournée, les yeux ouverts et fixes, les lèvres décousues, la bouche édentée, le visage violet appuyé sur le bord du cercueil. Ils ont tous dit : « Ah ! » Le fossoyeur a saisi le chapelet, travaillant à dénouer les doigts raidis qui voulaient le garder. Il a remis l'objet à l'abbé, en souriant. L'ordonnateur et ses acolytes se sont retirés. Ils nous ont traités de sauvages.

J'avais hâte de rentrer à la maison pour embrasser Colette.

Gaston, le cousin et les deux petites cousines de ma mère ne sont pas venus. Papa a offert à boire aux hommes. Ils ont tous accepté. Les femmes préparaient le café, les sandwichs et le traditionnel sucre à la crème. Ce fut bien drôle encore. J'ignore pourquoi les enterrements sont si drôles. Sans doute parce que c'est une occasion de réunir les familles désunies.

Colette est venue dans ma chambre. Elle était un peu timide. Je lui ai montré des livres. Nous nous sommes assis sur le lit. Il y avait décidément trop de monde à la maison. Quelqu'un aurait pu nous surprendre. À peine nous sommes-nous embrassés. J'ai joué un peu avec son corps de printemps. Nous avons décidé de nous revoir. J'aurais aimé qu'elle ne fût pas ma cousine. Oncle Fernand nous a surpris dans la chambre et a rougi. Il s'est excusé, est sorti, puis est revenu nous aviser que le café était servi.

Après la séance du café, Antoine a procédé au partage. Ça ne lui plaisait pas, c'était évident. Ma mère avait fait un testament et donnait ses bijoux, ses vêtements et ses fourrures. Des tantes oubliées pleuraient. D'autres, qui avaient reçu moins qu'elles souhaitaient, se disputaient en comparant leur butin. Oncle Fernand pleurait. Il trouvait inadmissible d'avoir volontairement été oublié parce qu'il était allé la visiter à l'hôpital avec une cravate rouge. Antoine a été fidèle au testament. Il ne lui a rien donné. En une demi-heure, il ne restait plus rien. Même les sous-vêtements avaient été partagés entre les tantes et les nièces de même taille qu'elle. Le tout attribué selon l'estime dans laquelle on avait été tenu…

Et la parenté s'en alla comme elle était venue, famille après famille. J'aurais aimé que Colette restât plus longtemps. Elle ne pouvait pas. Je l'embrassai sur le front. Elle m'invita, pour un de ces jours. Et ce jour n'est jamais venu !

Ce soir-là, à table, nous échangeâmes nos commentaires et nos impressions. C'était la première fois que nous parlions en mangeant. Quand elle vivait, c'était strictement défendu. Quand elle vivait !

Antoine a dit :

— Mes pauvres enfants, si elle avait vécu son enterrement, elle serait certainement morte de chagrin !

Il nous a regardés les uns après les autres, profondément, et s'est retiré dans le vivoir. En passant près de cette pièce pour regagner ma chambre, je l'ai vu : les yeux fermés, deux larmes lentes sur ses joues roses. Antoine !

Enfin seul. Je me suis étendu sur mon lit. Par fatigue, par épuisement, je me suis assoupi un peu. J'ai pensé à Colette.

Je la dévêtais scrupuleusement, la caressais, la préparais, l'embrassais. Elle riait, comme une gamine découvrant des jeux nouveaux.

Et là, au bord de l'inconscience, des images insolites, accélérées par ces derniers jours, envahirent ma mémoire. Je baisais Colette et nous roulions dans une fosse. Des dentiers criaient à tue-tête : « Phéphine ! Phéphine ! » Le sommeil m'emporta sur une dernière image : le crâne de ma mère qui disait : « Je vous présente mon fils ingrat. »

« Youpi ! maman est morte. »

Je vais reprendre le train.

Aussi léger que je puisse être avec mes cent six livres, je ne saurai pas flotter sur un billot comme quand j'avais cinq ans. J'ai l'impression de caler. Je cale. Je fais des glouglous comme la dame à robe à pastilles. Le temps du cœur qui saute, du sang qui monte à la tête. Je suis dans mon lit, je m'y précipite pour échapper à quelque chose. Je ne tiens plus. Je voudrais crier. Je crie et je pleure ainsi de vraies larmes d'homme. Mes premières. Comme ça, des heures et des heures peut-être. Jusqu'au complet et total épuisement. C'est une sorte d'orgasme inconnu, nouveau. Un délire.

L'abbé Jean m'observe de la fenêtre. Il a un rictus phosphorescent et ses dents brillent sous les reflets de la lampe à pétrole. Sur le lac, deux éléphants blancs harnachés de noir traînent un cercueil monté sur quatre roues. Il est ouvert. Ce n'est pas ma mère qui repose dedans, c'est nous tous qui nous entremêlons les uns aux autres, car nous sommes là, portant des habits ou des robes aux couleurs pastel. Nous sommes aussi beaux que des anémones. Puis nous descendons de cet étrange chariot. Seul papa est en caleçon long d'hiver, avec un gros bouton doré qui retient le panneau arrière. Son sexe semble démesuré. Il marche lourdement vers le cimetière, où les silhouettes des pierres et des croix se détachent dans le ciel de nuit. Il porte sur l'épaule une pelle au manche en argent ciselé.

— Où vas-tu, papa? demande Gaston.

— Je vais déterrer ta mère.

— Pourquoi? demande encore Gaston, la voix enrouée.

— Tu ne vois donc pas, réplique papa sur un ton calme et rassurant: je vais te faire un autre petit frère.

Claire pousse devant elle un landau en osier dont une des roues tend à quitter l'essieu. Yvette se couche dans la neige et fait une crise. Guy contemple sa femme qui a été changée en statue, comme Loth, car elle n'avait pas le droit de regarder ce spectacle. Et Louis s'envole. Il a des ailes noires. Son habit est rose. Comment se fait-il que je ne sois pas parmi eux, mais dans mon lit, dans ce camp en bois rond, surveillé par l'abbé Jean ?

Je ne suis pas fou, je vous jure. J'ai mal. Je voudrais ma mère. Elle me manque. Je voudrais lui demander pardon. Tenez, la voilà dans un confessionnal : « Excusez-moi, ma mère, parce que j'ai péché. »

J'ai pleuré des heures et des heures. Je n'ai jamais tant pleuré.

Le lendemain matin, j'ai pris le train comme il se devait. J'ai serré la main de Gaston et celle de papa. J'ai embrassé mes sœurs Claire et Anne. J'ai caressé les cheveux du dernier.

— Je t'écrirai, a dit papa.

Il y avait quelque chose de troublant dans ce départ.

— J'ai rêvé hier, dis-je à Claire. Ç'a été une nuit horrible.

— Je t'ai entendu pleurer, dit-elle.

— Ça devait être quelqu'un d'autre. Je me suis endormi en me couchant, dis-je.

— Dès que j'aurai du nouveau au sujet de ton travail, je te préviendrai. Ça ne devrait plus tarder, me confia Antoine.

— Au revoir.

❏

Tout me devint nouveau. Je ne restai que cinq semaines dans les chantiers et vins à la ville occuper la
nouvelle tâche qui m'attendait. Il s'agissait, déguisé
d'une visière, de manchettes de lustrine noires, de recopier scrupuleusement, à l'aide d'un tire-ligne, les
plans des ponts et ponceaux du ministère de la Voirie.
C'était un travail que papa avait obtenu du bureau du
premier ministre, où il avait certaines entrées parce
que notre famille comptait parmi celles qui consti-
tuaient un clan à part, une sorte de mafia de l'intelligence, de l'argent, de la connaissance, de la culture et
surtout de la prétention dans cette petite ville provin-
ciale qu'était Trois-Rivières, d'où montaient, selon
les vents, des odeurs puantes que laissaient échapper
les cheminées des usines de pâte à papier.

Je me prêtai donc au fonctionnariat du printemps
à l'automne, ce qui me permit en septembre de réali-
ser mon plus grand rêve. Je m'inscrivis à l'École des
beaux-arts. Ce furent les plus beaux mois de ma vie.
Je fus heureux, avide, curieux. Je me liai à de nombreux amis et devins membre d'une famille de fous.
Je découvrais mon monde. Je me découvrais. Je res-
pirais.

Hélas, ma situation n'était pas ce qu'elle devait
être, je ne pouvais compter sur aucune aide matérielle. J'ai dû quitter l'école quelques mois plus tard,
donnant une fois de plus le spectacle de mon instabi-
lité. Curieuse coïncidence — et pourrais-je l'expliquer ? — je m'étais follement mis à écrire. De tout,
des lettres, un journal que je rédigeais scrupuleusement et que je détruisais de six mois en six mois, par

crainte de me relire et, plutôt, de me retrouver. J'écrivais parce que cela correspondait à un besoin, à un
plaisir, à une satisfaction. Je me sentais épanoui
après de longues heures passées devant des pages
que je n'hésitais jamais à salir. Il y avait là un besoin
de créer, de faire quelque chose, de me projeter, de
dire ce que je pensais, ce que je ressentais, ce que
j'étais peut-être, infirme à l'intérieur, avec une tête
pourtant, des oreilles encore, et des yeux qui regardaient là où il semblait ne rien y avoir. Alors, accepter ses infirmités et sa carapace trompeuse, cette langueur intellectuelle anémiée par les privations de
culture, de communication, d'échange —- petit pro-
vincial aux horizons restreints. C'est ça, roule ta jeunesse, tâte de toutes les expériences ! Le monde est
illimité. Pour un peu les étoiles seraient palpables
comme l'enfance inscrite, avec ses visions qui déam-
bulent en procession et doivent avoir tous les aspects,
tous les instants, toutes les chimères. Je serai ! Je me
placerai dans un monde plus grand, plus spacieux,
plus humain que celui dans lequel je suis condamné
à vivre, mais je créerai à ma mesure un monde plus
vivant que la vie ; j'aurai des horizons plus larges et
plus accueillants qu'aucun ventre humain. Et tant pis
pour les Beaux-Arts, même si ce fut le paradis, si ce
fut le plus beau de mes laboratoires où je donnai ma
démesure, où je me meublai, où je vécus comme je
l'avais toujours souhaité, gratuitement, librement, in-
dépendant et complètement détaché. Je ne sais pourquoi je ne consentis pas à la misère, à la pauvreté, à
la difficulté de l'existence. Ha ! m'inscrire à nouveau

à l'École des beaux-arts. Me retremper dans l'encre
de Chine, l'aquarelle, la gouache, l'huile, et enfouir
mes mains inexpérimentées dans la glaise molle ; apprendre à recréer, car y a-t-il plus grande joie, sauf
écrire, que rouler, creuser, remplir, tâter la glaise et
en tirer une forme ?

Être nombreux à partager cette euphorie qui
n'avait rien en commun avec les bois, la comptabi-
lité, ou, comme jadis, les bancs d'école. Des gars
épatants, des filles épatantes. Tous un peu fous. Et
Jean, plus maboule que les autres. Pas de morale
chez lui, quelques règles de vie et si changeantes.
Nous nous lancions hors du monde et nous retom-
bions dans nos barbouillages, nos chromos, et nos
conversations éthyliques. Et nous aimions les filles,
et leur injecter nos délires. Soûl du matin au soir,
Jean se fabriquait des compositions chimiques avec
toutes sortes de cochonneries, même qu'il y ajoutait
de la lotion à barbe sous prétexte qu'elle lui donnait
bonne haleine. Alors, il se frottait les mains, ouvrait
la bouche toute grande après avoir avalé sa mixture
et nous soufflait au visage en demandant :

— Hein, est-ce que je sens l'alcool ?

Il était beau. Et ses mains démesurément longues l'accompagnaient comme une guitare quand il
parlait de sa voix chantante et exaltée. « Maudit »
par-ci, « Crisse » par-là, comme des taches de lumière dans ses récits abracadabrants. Il parlait beaucoup, n'avait rien de trop banal à dire, s'intéressait à
tout et surtout au communisme dont il se disait
adepte. Peintre il était ; il incarnait la couleur. « Dieu

stupide !» criait-il, de temps à autre, quand il lui
prenait un cafard bleu, ce qui lui arrivait souvent car
il était hypersensible et très vulnérable. Il se disait
de cette planète. Peut-être venait-il d'une autre ? Il
vivait pourtant avec le soleil, avec les étoiles, avec
les oiseaux, avec les filles. Il balayait de deux mots
tout ce qui sentait la tradition. Il crachait sur l'ab-
solu. Il prêchait le présent et en tirait sa force. Parfois, il se renfermait plusieurs jours, on ne savait où,
et il revenait fringant nous raconter ses aventures,
ses découvertes, et nous donner le compte rendu de
ses nombreuses lectures, Il créa une véritable surprise, un jour, arrivant à l'école avec un harmonica.
Cette crise dura quelques semaines. Il en jouait partout, tout le temps, faux d'ailleurs, et à tâtons, cherchant des accords.

— Écoutez ça, tabarnac, c'est mieux que Mozart.

— Ta gueule ! criait-on. Tu nous ennuies.

Rien n'y faisait, il s'accrochait à son ruine-
babines et il arrivait à en faire jaillir des petits airs assez charmants. Fou ! Fou comme pas un ! Influença-
ble. Il suffisait de le provoquer, de le braver et, hop !
il exécutait n'importe quoi, du plus sage au plus dé-
réglé. Des vicieux s'appliquaient à le provoquer dans
le sens du mal :

— Eh, Jean, tu ne peux pas faire ça.

Il le faisait. Je l'ai vu arracher des portes, renver-
ser des pupitres, les jeter en bas d'un cinquième
étage, se brûler la main avec le feu d'un cigare, mâ-
cher du verre pour prouver de son sang, au cours

d'une conversation sur la matière, que tout était comestible. Eh oui ! Il était fou. J'aimais ce fou.

Quand il dansait il était merveilleux. Il était musique. Il empruntait à je ne sais quel animal ou quel oiseau une grâce, une souplesse, des attitudes éloquentes. J'aimais le regarder danser. Il donnait un spectacle d'une haute qualité. Soûl comme lui, je turlutais, je battais des mains et encourageais ses manèges :

— Vas-y, vas-y, mon Jean !

Il y allait sur un pied et sur l'autre, sautant, glissant, coulant, et moulant sa partenaire qu'il choisissait plus petite pour l'envelopper toute entière. La seule chose que je ne l'ai pas vu faire, c'est l'amour. Il devait être extraordinaire, aussi entier. Pour lui, coucher devait tenir du lyrisme, de l'extase, du mysticisme, de la magie. Il devait être un dieu. Ah ! quel copain ! Quelle époque ! Si je n'avais pas été un petit-bourgeois, si je n'avais pas eu peur de l'avenir !

Que s'est-il passé après ? Oui, de longs mois de chômage ! L'ennui à la maison. Je jouais à la maman. Anne ne sortait de sa mauvaise humeur que par à-coups. Puis elle retournait dans sa coquille, dans ses angoisses, étendue des journées entières dans sa chambre d'un désordre affolant et d'une telle malpropreté que maman serait morte sur-le-champ si elle avait vu ça : des sous-vêtements sales par terre, des bas, des souliers, des cigarettes, des livres, des produits de beauté, le lit toujours défait. Elle se défendait contre je ne sais quoi.

Certains soirs où elle se sentait particulièrement seule, elle m'acceptait dans l'horreur de sa chambre.

Je prêtais une oreille attentive et mon cœur à ses élu-
cubrations. Elle était sur ses gardes avec papa,
qu'elle accusait de vouloir la violer. Je n'en croyais
rien. À peine papa était-il un peu plus présent avec
nous depuis que maman était morte et depuis qu'il
nous avait autorisés à le tutoyer. Je lui disais qu'elle
rêvait, ou que ses lectures lui montaient à la tête. Elle
ne voulait rien entendre, masochiste, confortable
dans sa névrose, y trouvant une justification à ne rien
faire et à s'isoler.

Claire était retournée à ses études de garde-
malade. On ne voyait plus Guy et sa femme. Quelques rares nouvelles nous parvenaient des autres qui
s'étaient éparpillés au pays. Je me disais : « Eh bien,
mon vieux, il faut que tu aides tout ce monde-là : ton
pauvre père qui n'a pas la vie simple, ta sœur, et puis
celui-ci et celle-là. » J'apprenais à cuisiner et à assu-
mer les tâches domestiques. Si loin des amis de collège. Sans aucun contact avec les hommes des chantiers. Quelquefois, je rencontrais quelques collègues
des Beaux-Arts et nous recommencions nos divaga-
tions sur la révolte, sur le renversement du pouvoir.
Nous échangions des livres et des histoires. On com-
mérait sur celui-ci qui s'était marié ou sur celui-là
qui avait du succès.

Qu'est-ce que je faisais dans cette vie, quelle
était ma destinée, à qui et à quoi m'accrocher ? Tout
était si confus ! J'étais nerveux, tendu. Je cherchais
sans trouver parce que j'ignorais ce que je cherchais.

Je fis alors la connaissance d'une famille qui
était aussi folle que la mienne, où l'inverse se produi-

sait : c'était le père qui jouait le rôle que ma mère avait joué chez nous. Nous devînmes très amis, et j'établis là mon nouveau refuge. Je trouvai une vraie mère, compréhensive, pleine d'attentions et de délicatesses. Tous les sujets étaient traités autour de la grande table de la salle à manger où nous nous réunissions devant des tasses de café. Tous s'aimaient dans cette famille, et la chaleur qui s'en dégageait ne pouvait que m'être salutaire.

Ma nouvelle mère était grosse, avait le sens du désordre, ce qui est rare. Ainsi, quand on arrivait à l'improviste, ou qu'on sonnait à sa porte, tout ce qui traînait était rangé dans le placard le plus près. À l'aide de ses deux mains et de ses deux pieds, elle retenait solidement la porte pour éviter que tout s'effondre. Je trouvais ça follement drôle. Elle riait d'un cœur léger et davantage quand je lui faisais la surprise de lui apporter une glace au chocolat ou à la vanille, ce dont elle raffolait et qu'elle suçotait avec une gourmandise à sa dimension. Une chose cependant, je ne compris jamais, moi qui tenais en horreur les grosses personnes, pourquoi j'éprouvais pour cette femme tant d'admiration. Peut-être parce qu'elle respectait ses enfants et qu'il ne m'avait pas été donné de rencontrer, au cours de ces années, une mère de ce genre. Point question de péché dans cette maison, mais d'une éthique ; point d'objection au sexe dans cette maison, car la chose était considérée comme normale. Preuve est qu'un jour, alors que je causais avec elle qui repassait le pantalon de l'aîné, elle vida les poches et plaça tout ce qu'elles contenaient sur le coin de la planche. Il y avait un mouchoir, des papiers, des tickets d'autobus, de la menue monnaie et un préservatif qu'elle déposa avec la même indifférence, sauf que, Julien revenant de ses cours, elle lui fit une remarque :

— Julien, j'aimerais bien, à l'avenir, que tu vides les poches de ton pantalon avant de me le donner à repasser.

— Pourquoi ? a-t-il demandé avec surprise.

— Tu fouilleras dedans, tu verras toi-même.

Et elle ajouta, me prenant à témoin :

— Je trouve que c'est me manquer de respect.

Ce fut tout ce qu'elle lui dit. Et Julien, se hâtant de vérifier, se mit à rougir lorsqu'il toucha l'objet en question.

— Vous êtes formidable, dis-je. Moi, ma mère m'aurait tué !

Ce fait parmi tant d'autres ; des situations parmi tant d'autres ; et elle nous reprenait, moi comme les siens, nous remettant dans la ligne du préjugé favorable, du respect, de la qualité.

Dirai-je tout ce que je lui dois, comme tout ce que je dois à l'aînée de ses filles qui fut un exemple de courage, de ténacité ? Imaginez, elle a commencé sa carrière en frottant les poignées de porte et en lavant des éprouvettes dans un laboratoire. Elle monta en grade, devint technicienne, suivit des cours du soir, obtint son baccalauréat, s'inscrivit à la faculté de médecine, puis devint psychothérapeute.

Ses frères — elle était la seule fille — étaient moins sensationnels peut-être, mais tous aussi brillants. Je ne raconterai pas la vie de chacun. Je ne dirai pas non plus de quelle façon le rôle du père, qui était négatif, devint positif pour nous, car m'man nous apprit à le respecter malgré ses sautes d'humeur, son caractère impossible, son intransigeance et son opiniâtreté. Imaginez, elle aimait le violon, pour en avoir joué longtemps et professionnellement toute sa vie, et fut privée de cet art sensible parce que les oreilles de son époux étaient trop irritables. Il avait du cœur, cependant, il était d'une grande générosité, je dirais même qu'il était bon. Alors la façon avec laquelle tous ses enfants le regardaient me fit songer à la façon avec laquelle nous aurions pu regarder notre mère. Ma nouvelle maman m'apprit donc à ne pas toujours regarder par le même bout de la lorgnette :

— Tu as les yeux collés sur une tache, comment peux-tu voir si le mur est blanc ?

— Vous avez bien raison, m'man (on l'appelait tous m'man), vous savez.

C'est encore elle qui m'encouragea à écrire et je devais même accepter les critiques de tous. C'était gênant, parfois pénible, mais toujours positif.

Curieux comme tout passe ! Parfois j'aimerais retrouver ce temps de bonheur, échanger des livres, en discuter des heures et des heures, reprendre les questions de la vie une à une, enfin tout reprendre ce pourquoi nous nous emballions, nous nous enflammions jusqu'à l'euphorie. Et quand je retournais chez moi, souvent accompagné de Nicole qui trouvait là prétexte à prendre un peu l'air avant de dormir, j'étais heureux de marcher en silence avec ma nouvelle sœur. Nous étions conscients de la grandeur de la présence que nous nous donnions.

Comme m'man était grosse ! Une vraie grosse femme ! Non, je ne les juge pas et ne les classe pas dans une catégorie à part, loin de là ! Il y a des gens gros qui sont intelligents, sympathiques et si humains. Tous, ou presque, sont généralement des personnes gaies, des boute-en-train et des gardiens de l'humour. Hélas, les gros me sont généralement antipathiques ; il arrive qu'ils soient lents, paresseux, lymphatiques, dépressifs avec de tout petits soubresauts d'énergie qu'ils prennent pour des miracles. M'man Berthe, avec ses défauts, parce qu'elle ne pouvait pas faire autrement qu'en avoir, avait un charme fou, une grâce, une souplesse, mais oui, et une telle bonté de cœur. Quand ça allait mal, qui aller voir ? M'man Berthe ! Ça allait bien, elle était la première à partager la joie. Il faut que je vous dise, son mari Théodule, un alcoolique quotidien et tenace, la faisait vraiment beaucoup souffrir. Il la séquestrait un petit peu à sa manière et la terrorisait à sa façon. Elle en avait une peur bleue. Si vous l'aviez vue marcher quand Monsieur dormait. Elle allait sur la pointe des pieds, un doigt devant sa bouche pour nous inviter à baisser le ton de nos voix et, son autre bras levé, la main tombante qui sautillait comme une ballerine, le petit doigt légèrement relevé. Elle souriait, que c'était une joie rien que de la regarder, et son sourire reposait sur son double menton que nous n'avions qu'à observer pour deviner son humeur, car le violon lui avait laissé une déformation qui enflait sous l'effet de la déception ou de la tristesse. Si, parfois, j'osais m'indigner de la conduite de Théodule, elle me réprimandait doucement et me disait les qualités qu'il cachait, confiait-elle, par complexe d'infériorité. Curieux, elle usait toujours de la forme négative quand elle voulait démontrer chez lui ses aspects positifs.

— M'man, j'ai écrit un autre poème.

— Assieds-toi et lis-moi ça, je vais te faire un bon café.

Et je lisais.

— Tu écris très mal. La poésie n'a rien à voir avec ce que tu viens de me lire.

— Qu'est-ce que c'est, alors ?

— C'est au niveau du langage, tu sais, mais je ne veux pas parler de poésie. Je voudrais t'entretenir d'autre chose, tandis que nous sommes seuls. Mon vieux, il y a pas mal de temps que tu viens à la maison et...

— Et quoi ?

— Je ne te trouve pas bien. Tu es nerveux, mentalement nerveux, je veux dire. As-tu déjà entendu parler des névroses ?

— Tout le monde en fait, de la névrose.

— Oui, mais tu ne crois pas que tu devrais consulter quelqu'un ?

Je la regardais, complètement interloqué. Elle traçait avec des exemples, et des souvenirs, mon portrait qui n'était pas très très joli :

— Écoute, tu pleures pour rien, tu entres en colère pour rien, tu fais des crises d'anxiété, tu ne te vois donc pas ?

Elle me rendit conscient de ce que j'étais. Et je tombai dans l'état même qu'elle venait de décrire. Je n'avais donc plus le choix. Je ne pouvais plus feindre. Je consentis à ce qu'elle me prenne un rendez-vous chez un psychiatre.

Il ne fallait surtout pas en parler à Antoine qui tenait ces gens pour des charlatans, de faux curés qui allaient fouiller de midi à quatorze heures pour me rendre pire que j'étais.

— Ce sont des mentaux, disait-il. As-tu déjà rencontré un seul psychiatre qui ait l'air normal ?

Et puis, s'il fallait qu'il sache, il se poserait peut-être certaines questions, puisque Yvette était déjà entre les mains d'un gars comme ça, qui l'avait internée quelques mois, avec les électrochocs, le coma insuline et autres médecines dégueulasses. Tant qu'à vous faire des confidences, la belle Claire, aussi équilibrée paraissait-elle, s'était soumise au même traitement. S'il fallait qu'à mon tour, j'entre dans le clan des soignés, c'était pour le coup que papa se demanderait s'il n'avait pas engendré des fous, car c'était des fous, à l'époque, qui consultaient les psychiatres.

J'y suis allé assidûment. Deux heures chaque semaine. Et le psychiatre apprit avant vous ce récit qui précède et d'autres détails inutiles : combien de fois je me masturbais par jour, combien de fois j'avais masturbé des petits gars au collège et dans quelles circonstances. Semaine après semaine étaler ma vie, toute ma jeune vie. Plus je me racontais, plus j'étais conscient, plus je savais, mais savoir ne changeait rien. Et ça coûtait un prix fou. Je m'endettais. Le psychiatre aurait bien dû aborder ma vie matérielle et se rendre compte qu'il exagérait. Je crois que je gagnais vingt-huit dollars par semaine et il en demandait huit de l'heure. Il me fallut des mois pour m'acquitter de ma dette envers lui.

Il m'a dit une fois :

— N'avez-vous jamais pensé que vous étiez homosexuel ?

J'ai éclaté de rire et je lui ai appris qu'il y avait déjà deux filles dans ma vie. Je ne veux pas vous en parler maintenant, pas plus que des autres qui les ont précédées ; je veux nommer Rolande et Suzanne — je peux quand même me permettre une petite indiscrétion. Suzanne m'a donné mon premier baiser, dans la chambre des garçons d'une famille très très riche, où elle était domestique. C'était une campagnarde, cousine d'un ami de collège où j'avais été invité à une partie. Elle avait trouvé le prétexte de me faire visiter la maison pour m'entraîner dans son piège. On s'est embrassés, comme ça, bien gentiment, sans plus. Rolande, ce ne fut pas la même chose. Nous nous sommes fréquentés quelques semaines. Elle mettait sa petite main dans la poche de mon imperméable et je me masturbais avec, en marchant, sans qu'elle s'en rende compte, chaque soir ainsi, quand nous allions faire notre prière à l'église. Ça n'a pas été important pour moi, ni pour elle parce qu'elle ne pouvait pas être consciente. Et je ne l'ai plus revue parce qu'elle était entrée au couvent.

Mon psychiatre était bien curieux, il voulait tout savoir. J'ai dû tout lui dire. Quand il apprit que mes

deux sœurs se faisaient traiter, il a sourcillé derrière
ses grosses lunettes. Aussi il a fallu que je lui montre
tout ce que j'écrivais, que je lui fasse lire les lettres
de mes amis, de mes sœurs et celles que papa m'envoyait quand j'étais dans les chantiers. Il m'a fait
parler de maman, de tous ceux que je connaissais.
Chaque fois, je dessinais les uns et les autres avec de
plus en plus de détails, des souvenirs supposés morts
ressuscitaient devant lui.

Mais lui ne disait jamais rien. Il m'énervait terriblement. Je me mis à le détester comme ce n'est pas
permis. Je le trouvais vicieux. Je m'en méfiais. Un
jour, après une dernière séance, je lui demandai de
me donner un diagnostic. Je lui ai demandé ça bien
poliment :

— Pourriez-vous me dire ce que j'ai ? Qu'est-ce
que vous avez trouvé ? Est-ce que je suis normal ?
Dites-moi, docteur.

Il prenait des notes sur une feuille, ne daignait
même pas me regarder et, de sa même voix mono-
tone, m'invita à revenir la semaine suivante.

Je n'y retournai plus jamais. Il en savait autant
que vous. Il était peut-être moins avancé.

Et moi donc ! M'man Berthe avait déménagé
avec sa famille. Antoine s'apprêtait à en faire autant
et ce n'était pas une si mauvaise chose pour lui, parce
que ça devenait impossible. Il prenait des cuites de
plus en plus fréquentes, chaque fois qu'il lui tombait
une tuile sur la tête. Il lui en était tombé pas mal, et
les dernières avaient été dures à supporter. Il apprit
par télégramme que Claire s'était mariée enceinte à

un drôle de gars qu'il ne connaissait même pas. Juste quelques semaines avant, Gaston s'était amené avec une femme, supposée sa femme, et comme il n'y avait pas de femme à la maison, ç'a avait été une fête. Il leur avait donné sa chambre qu'il avait fait repeindre. Puis, un matin, il n'y avait pas plus de Gaston que de femme dans la maison, juste une petite note de Gaston lui apprenant que la fille avait foutu le camp, qu'ils n'avaient jamais été mariés, et patati et patata.

Il leva les bras au ciel :

— Qu'est-ce que j'ai pu faire au bon Dieu ? gémit-il. Ça s'accote comme ça. C'est le bout des bouts. Mon propre fils, avec une putain, dans ma chambre ! Ils ont dormi dans le lit de ta sainte mère.

Il disait n'importe quoi, tant il était dépassé par les événements. Il s'en prit à moi qui savais tout et qui n'avais rien dit. On s.'est disputés. Il a pris une autre cuite. Tout le temps il disait :

— Je vais te les décrire, tes frères et tes sœurs. Regarde l'aîné, mal marié, avec une possessive qui le dévore. Il est malheureux.

Il se mettait à pleurer parce qu'il croyait que l'aîné était malheureux. Yvette y passait, la pauvre Yvette qu'il ne comprenait pas :

— Je te le dis, ces histoires de maladies, moi, je t'organiserais ça en criant ciseau.

Il reprenait :

— L'autre — il voulait parler de Louis —, le sans-cœur, le menteur. Parti... Mon Gaston, quand j'y pense, coucher dans le lit conjugal avec une putain. Et Anne, fuir comme ça avec un Français,

abandonner son père avec des enfants en bas âge !
Les pauvres petits, qu'est-ce qu'ils vont devenir ?
Mon Dieu, mon Dieu !

Gloup ! il avalait un peu de gin, pleurait un peu
sur toute sa famille et sûrement sur lui-même, écrasé
par son malheur, par cette génération de révoltés,
d'agnostiques, de tout ce que vous voudrez. Un cri :

— C'est une honte ! J'aurai à répondre de vous
tous devant Dieu. Et qu'est-ce que je dirai ?

Je le mis au lit, allai vérifier si les enfants dor-
maient, j'entrai dans le silence de ma chambre et je
l'entendis au travers des cloisons faire une curieuse
prière et puis pleurer, tellement que je me suis mis à
pleurer comme lui, par sympathie ou parce que je ne
pouvais pas le comprendre.

Alors ? Alors il est parti chez ma sœur Claire, qui
voulut bien s'occuper de lui. Les enfants allèrent en
pension. On vida la maison, Gaston et moi, Gaston
qui était revenu pour le déménagement.

Quand tout a été empaqueté, emballé et chargé
dans son camion, on est allés boire une bière, sans
avoir rien à se dire que des banalités. Il m'a trouvé
étrange :

— Tu n'es pas comme d'habitude, qu'est-ce que
tu as ?

Je me suis contenté de lui dire que j'étais très fa-
tigué, que les derniers mois m'avaient surmené et
l'invitai à ne pas s'en faire pour moi :

— Je me débrouillerai bien !

On s'est serré la main et il est parti avec les meu-
bles, et tout et tout.

Je ne suis pas rentré, j'ai marché très longtemps et j'ai revu, comme je les ai revues tout au long de ces pages, toutes ces années. J'avais beau me dire qu'on naît à vingt et un ans, ça ne changeait rien, j'avais vingt et un ans. J'avais les cheveux blancs, le cœur tout plissé, j'étais pauvre et moi qui aimais tant donner, je n'avais plus rien à donner, plus personne à qui donner. Tous allaient me manquer. De qui allais-je pouvoir me sentir responsable? De quoi allais-je être coupable?

Soudain, poursuivant ma marche, j'eus l'impression d'être suivi par quelqu'un. Je me retournai discrètement et j'aperçus ma mère. De l'autre côté de la rue, il y avait l'abbé Jean. Je pressai le pas. Mais derrière l'abbé Jean, je reconnus, vêtu en civil, ayant gardé son air vicieux, le frère Amédée-de-la-Joie et le frère Armand. Pis encore, sœur Sainte-Thérèse-de-l'Enfant-Jésus! Derrière ma mère, tante Agnès et la dame que j'avais voulu jeter à l'eau quand j'étais petit.

Je me suis mis à courir vers mes amis qui marchaient devant moi. Dès qu'ils s'aperçurent que je courais après eux, ils se mirent à courir également. Je me suis donc arrêté, comme ça, bravement. Je me suis dit: «Qu'ils s'en aillent ceux-là et que les autres viennent.»

Je les attendis appuyé du dos à un poteau de téléphone. Je serrai les poings et ne bougeai plus. La femme qui ressemblait à ma mère passa devant moi sans me prêter plus d'attention. Ainsi des autres, comme si je n'avais pas été là.

C'est à ce moment précis que je pris ma décision. Je la pris calmement, avec un sentiment comme je n'en avais jamais éprouvé. Je me dirigeai directement vers la banque, retirai le peu d'argent que j'y avais déposé. Cela fait, j'allai m'acheter un complet superbe, une chemise d'un grand luxe, une cravate de chez Dior qui coûtait très cher, des bas neufs et un caleçon de marque Jockey. Je fis emballer tout ça et sortis après avoir payé. M'arrêtant chez le fleuriste, je fis livrer à la maison trois douzaines de roses jaunes, en boutons, songeant qu'elles mettraient plus de temps à faner que les roses rouges, qui étaient très belles mais déjà trop avancées. Je sortis de là pour aller chez un autre marchand, où j'achetai un petit cercueil mauve, pas vilain du tout, avec de la belle soie blanche à l'intérieur et qui, tout compte fait, n'avait pas l'air tellement morbide.

Le marchand a trouvé ça bien étrange que j'achète un cercueil et que je le fasse livrer à domicile. Il m'a demandé pourquoi, pour qui, et m'a posé un tas de questions.

— Vous prenez-vous pour un psychiatre ? lui demandai-je à bout de nerfs. Vous êtes marchand de cercueils, non ? Vendez-m'en un sans poser de questions, sinon je vais l'acheter ailleurs.

— Ça va, ça va, a-t-il dit, ne vous énervez pas. Quelle adresse ?

Je lui donnai l'adresse et je rentrai de ce pas, quelques minutes avant les roses. Le cercueil suivit de près. Je pris un bain, je me rasai, j'enfilai mon nouveau slip qui était très bien et très sexy. Je passai la chemise, m'appliquai à nouer ma cravate en faisant un tout petit nœud comme je les aime et qui dénote tellement le caractère d'un individu. Une fois costumé, je me peignai et, déposant le peigne dans la pharmacie, je m'emparai d'un flacon de somnifères et je remplis un verre d'eau.

Il était quatre heures de l'après-midi. Il faisait soleil. J'étais très calme. Je me suis couché dans le cercueil. J'ai ouvert le flacon, j'ai avalé toutes les pilules en buvant le verre d'eau. J'ai déposé le flacon et le verre à côté du cercueil. J'ai pris une pose respectable sans croiser mes mains sur ma poitrine, ce qui aurait été indécent dans mon cas, mes bras allongés de chaque côté de mon corps. Je m'engourdissais, me semblait-il.

Alors, j'ai fait un drôle de rêve. Ce fut comme si le cercueil s'était mis à bouger, comme s'il avait été placé sur un coussin d'air. Je me suis levé un peu pour vérifier et j'eus peur de tomber en bas, car le cercueil était suspendu dans le vide, sans nulle attache. J'ai crié, mon cri ne porta pas. Il resta velléitaire. Mais j'en éprouvai de l'apaisement. Le cercueil, toutefois, me fit l'impression de descendre et de se reposer sur le plancher du salon. Je me disais : « Tout va rentrer dans l'ordre, maintenant. Il suffit de te détendre, de te laisser aller, de tenir les yeux fermés le plus longtemps possible. »

Lorsque je les ouvris, après m'être senti mieux, à mon grand étonnement, une main apparut au pied du cercueil, une main, mi-verre mi-chair, dont les doigts affolés cherchaient à s'agripper. D'instinct, je

tendis la main à cette main. Dès que je l'eus frôlée,
elle glissa et disparut. Je me recouchai, le cœur battant. Aussitôt la main réapparut. Encore et encore.
Avec ténacité j'offrais mon aide à la main de verre.
Toujours, la main se dérobait. Toujours, plus stupide-
ment, je recommençais, sachant que la main glisse-
rait chaque fois de la mienne. Comme j'hésitais une
dernière fois à la saisir, ce fut elle qui m'agrippa avec
rapidité, m'entraînant dans l'inconnu. À mesure que
je m'y enfonçais, à la main s'ajoutaient un bras, une
épaule, une tête, une autre épaule, un autre bras, une
autre main. Puis un corps qui s'accrocha à moi,
comme dévoré par une folle affection et cherchant
ma bouche, qu'il trouva et qu'il se mit à embrasser.
Je ne résistai pas. Au contraire. Nous nous décou-
vrions tous les deux avec une sorte de plaisir serein,
une confiance absolue. Soudain, un cri fendit l'air
qui me rappela celui que j'avais poussé ou voulu
pousser. J'ouvris les yeux. Ce n'était pas quelqu'un
que je tenais dans mes bras. C'était mon propre
corps. À mon étonnement, au lieu de me repousser,
ou de repousser cet autre moi, je l'enlaçai éperdu-
ment. Nous criions tous les deux, moi et moi coupables, partageant un même geste de répugnance. Ma
tête au creux de mon épaule. Mon épaule au creux de
ma tête, poitrine contre poitrine, nos sexes se confon-
dant en un lien. C'était d'une horreur complaisante
mais, quand je me suis mis à pleurer, mon autre moi
ne me suivit plus. À peine manifesta-t-il quelques
gestes d'impatience qui me calmèrent un peu. Est-ce
que je m'aimais ? Non ! ce n'était pas moi. C'était

quelqu'un d'autre que je voyais là. J'avais mal regardé tout à l'heure, puisque des cheveux longs lui
couvraient maintenant les épaules. À la métamorphose des cheveux succédèrent d'autres métamor-
phoses. À mesure que cet être se féminisait, la vie,
lentement, commença à s'échapper d'elle. Et elle se
sublima dans mes mains qui n'étreignaient plus que
sueur.

Tout rentra dans l'ordre. Le cercueil était encore
à sa place. Les roses jaunes ne s'étaient pas ouvertes.
Le verre et le flacon vide étaient où je les avais dépo-
sés et j'étais là où je m'étais couché.

C'est à ce moment précis que maman entra et
vint m'embrasser. Elle passa sa main froide sur ma
joue brûlante.

— Il ne faut pas être triste, mon petit ; quand tu
seras grand, tu verras, il y a des moments bien difficiles à passer. Je t'aime, ajouta-t-elle.

À peine eut-elle prononcé ce mot que je la regardai droit dans les yeux et eus conscience de sa trans-
formation, car ce sont les yeux qui en premier
s'enfoncèrent dans l'orbite pour disparaître complètement. Ses joues se creusèrent, épousant les saillies
osseuses de son crâne. Je fermai les yeux, cherchant
à chasser cette vision.

— Tu as peur ? demanda-t-elle.

Je ne répondis pas tant j'étais glacé d'effroi, la
sentant se glisser dans mon cercueil et me caresser et
commander à ma crainte de céder au désir. Et je dé-
sirai la mort à ce point qu'elle me donne ce qu'elle
ne pouvait pas me donner : une vie !

Je me surpris à imaginer, si ma mémoire est fidèle, quel enfant pourrait naître de notre union. Mi-chair, mi-squelette, mi-homme, mi-dieu. Un être indescriptible, avec une intelligence de la vie et de la mort au-delà de l'imaginable.

Et comme si la mort eût deviné ma pensée, elle me laissa là, perplexe.

Tout redevint comme avant. J'étais en sueur dans l'étroitesse de mon cercueil et incapable d'ouvrir le couvercle, que j'avais refermé. Je ne pouvais plus bouger. Je n'avais plus qu'à me soumettre.

Pour la première fois de ma vie, fou ou pas, et contrairement à tant de gens qui s'en plaignent, je ne voulais plus être aimé ou être compris.

Et je m'endormis.

Choix de critique

Un document authentique.

> Jacques Ferron,
> *Le Petit Journal*, novembre 1969

Après tout, ce qui distingue le jeune Marcel Godin d'un jeune romancier de la France métropolitaine, c'est la qualité — poussée jusqu'à l'incandescence — de l'aveu.

> HUBERT JUIN,
> *Le Soir*, Bruxelles, 1969

Une dent contre Dieu […] ne saurait être l'étude de la révolte des Français Canadiens ; ce livre est plus que cela. Il est le chant d'un cœur tourmenté, que piétine une société qui vit de ses péchés. Cette société, ce fut la nôtre, ce l'est encore aujourd'hui. Le vocabulaire a changé ; la façon d'être reste la même.

> JEAN-ÉTHIER BLAIS,
> *Le Devoir*, novembre 1969

Marcel Godin, auteur représentatif de l'actuelle littérature canadienne, donne un ouvrage sans complaisance où l'enfant qu'il est resté pour toujours crie avec rage tout le mal qu'on lui a fait. On ne lit pas sans trouble, voire sans malaise cette confession révoltée d'un enfant de ce siècle qui gardera à jamais une dent contre Dieu. C'est un livre terrible, oui, mais combien déchirant.

JEAN-MARIE DELOBELLE,
La Voix du Nord, 1969

Une dent contre Dieu fera rager les uns pendant que d'autres revivront leur jeunesse. Les plus jeunes lecteurs découvriront qu'un Québec plus ou moins sain a existé avant celui d'aujourd'hui. Un livre révoltant parce qu'il ouvre les yeux.

J.-Y. T.,
Canada français, novembre 1969

Les épisodes du roman sont classiques : ils ont été souvent décrits par les romanciers de la jeune génération, mais rarement avec un talent si vigoureux et dans un style si sobre et émouvant.

BERNARD VALIQUETTE,
Les arts et les autres, 1969

ENTRE-M. SE

CET OUVRAGE
COMPOSÉ EN TIMES CORPS 11 SUR 13
A ÉTÉ ACHEVÉ D'IMPRIMER
LE CINQ MARS DE L'AN DEUX MILLE UN
PAR LES TRAVAILLEURS ET TRAVAILLEUSES
DES PRESSES DE SINA
À SAINT-LÉONARD
POUR LE COMPTE DE
LANCTÔT ÉDITEUR.

IMPRIMÉ AU QUÉBEC (CANADA)